L'ART DES FAUX-FINIS

Guide complet des

TECHNIQUES
DE PEINTURE

L'ART DES FAUX-FINIS

Guide complet des
TECHNIQUES DE PEINTURE

SHARON ROSS
ET ELISE KINKEAD

Broquet

97-B, Montée des Bouleaux
Saint-Constant, Qc, J5A 1A9
Tél. : (450) 638-3338 Fax : (450) 638-4338
Web : www.broquet.qc.ca / Courriel : info@broquet.qc.ca

Catalogage avant publication de la Bibliothèque nationale du Canada

Ross, Sharon

    Guide complet des techniques de peinture : l'art des faux-finis

    Traduction de: Mastering fine decorative paint techniques.
    Comprend des réf. bibliogr. et un index.

    ISBN 2-89000-654-9

    1. Peinture en bâtiment - Manuels d'amateurs. 2. Décoration intérieure - Manuels d'amateurs. 3. Faux-fini - Manuels d'amateurs. I. Kinkead, Elise. II. Titre.

TT323.R6714 2004   698'.14   C2004-941008-3

POUR L'AIDE À LA RÉALISATION DE SON PROGRAMME ÉDITORIAL, L'ÉDITEUR REMERCIE :
Le Gouvernement du Canada par l'entremise du Programme d'Aide au Développement de l'Industrie de l'Édition (PADIÉ) ; La Société de Développement des Entreprises Culturelles (SODEC) ; L'Association pour l'Exportation du Livre Canadien (AELC).
Le Gouvernement du Québec - Programme de crédit d'impôt pour l'édition de livres - Gestion SODEC.

Traduction : Anne-Marie Courtemanche, Fabienne Agin
Révision : Denis Poulet
Infographie : Brigit Levesque, Chantal Greer

TITRE ORIGINAL : Mastering Fine Decorative Paint Techniques
    Copyright © Creative homeowner

POUR L'ÉDITION EN FANGUE FRANÇAISE :

    Copyright © Ottawa 2004
    Broquet inc.
    Dépôt légal — Bibliothèque nationale du Québec
    3e trimestre 2004

    Imprimé en Malaisie

ISBN 2-89000-654-9

Dédicace

Pour ceux qui sont à la recherche d'un décor original et personnalisé, et pour les artisans chevronnés qui les aident à le réaliser au moyen de textures et de couleurs harmonieuses.

Remerciements

Nous tenons à remercier tous les gens qui ont collaboré de près ou de loin à rendre la publication de ce livre possible. Parmi eux : Shelley O'Brien, assistante d'Elise Kinkead, Don Wong, photographe, et son assistant David Wlaschin, l'Association National Decorating Products, Steve Sides, du National Paint and Coating Association, l'Institut Paint Quality, Kenneth Charbonneau, consultant en marketing couleur, Benjamin Moore & Co, Carol Benysek et Bonnie Rohow, de Abbott Paint & Carpet, St.Paul MN, Eleanor McGough, Lathrop Paint Supply Co, Minneapolis, MN, ainsi que le personnel de Wet Paint, Inc. St.Paul, MN.

TABLE DES MATIÈRES

INTRODUCTION

L'intérêt pour la peinture décorative a connu une montée en flèche au cours des 20 dernières années. Afin de tenter de recréer des ambiances plus chaleureuses et personnalisées, les décorateurs amateurs, à l'instar des architectes et designers, ont redécouvert la beauté des classiques faux-finis. Grâce à cette technique centenaire, ils ont trouvé un outil pour ajouter de la texture, fignoler des détails, créer des illusions

et laisser voguer leur imagination bien au-delà de ce que la peinture ordinaire leur offrait comme possibilité. Pas étonnant qu'autant de gens démontrent un tel engouement pour ces finis si raffinés. Si vous recherchez un décor hautement personnalisé, la maîtrise d'une ou de quelques-unes de ces techniques vous permettra d'obtenir les résultats que vous visez.

De prime abord, ces méthodes peuvent vous sembler irréalisables. Il y a quelques difficultés mais la plupart sont très surmontables. Il suffit d'y mettre du temps, de l'énergie, de la bonne volonté, et surtout de pouvoir accepter de vivre avec le désordre que cause ce genre d'entreprise. Vous devez également bien faire vos devoirs : planifier méticuleusement le projet en son entier, faire des tests préalables et lire attentivement tous les détails de la marche à suivre. Nul n'est besoin d'être expert pour relever ce défi. Votre bonne volonté est tout aussi importante que votre savoir-faire. *Techniques de peinture décorative* vous aidera à apprendre les techniques à votre rythme et à vous y exercer.

Ce livre vous apprendra étape par étape à maîtriser les techniques les plus populaires de finis décoratifs, en commençant par les plus simples (travaux à l'éponge) pour finir par l'impression d'un décor bois, technique difficile mais qui donne d'extraordinaires résultats. Chaque procédé est regroupé avec d'autres de même style, mais chacun est décrit au complet, même s'il comporte des exercices déjà mentionnés. Chaque groupe de styles se fonde sur les groupes précédents. Par exemple, dans la technique de l'éponge à deux couleurs, vous apprendrez d'abord la méthode avec une couleur, puis vous passerez à la technique du chiffon, qui est un peu plus difficile, pour maîtriser l'ensemble du procédé. Plusieurs références croisées vous permettront de vous rafraîchir la mémoire rapidement. En améliorant votre technique, vous améliorerez votre dextérité et votre confiance en vous.

Dans ce livre, nous avons mis l'accent sur les détails des procédés plutôt que sur la décoration achevée. Une dernière photo illustre l'allure finale que prendra votre décor. Cependant, le livre présente une généreuse panoplie de photos de décors achevés qui vous permettront de juger de l'efficacité de ces techniques.

En plus, les textes qui accompagnent chaque technique fournissent plusieurs renseignements sur les produits, les trucs et les précautions à prendre pour réussir votre projet. Réaliser un projet original est l'un des grands plaisirs des faux-finis. Pour la plupart des techniques, nous vous indiquons les combinaisons de couleurs les plus harmonieuses.

Tout cela dans le but de stimuler votre créativité et de vous donner le courage d'essayer quelque chose de nouveau. Ne paniquez pas si les résultats ne sont pas exactement à la hauteur de vos attentes. Il ne s'agit que de touches de fantaisie. En soi, elles sont tout à fait charmantes, même si elles ont un côté artisanal et un peu maladroit.

Avant de commencer à suivre les instructions, étape par étape, vous aurez à parcourir cinq chapitres d'informations techniques concernant les couleurs, les glacis, les pinceaux, les instruments de travail, la réparation des surfaces et le mélange des peintures et glacis. Bien que ce livre s'adresse aux débutants, les peintres professionnels y trouveront leur compte afin de parfaire leurs connaissances. Et souvenez-vous que le but réel est de créer un environnement qui sort vraiment de l'ordinaire.

L'histoire colorée
des finis peints décoratifs

L'être humain semble avoir une propension innée à utiliser de la peinture pour décorer les surfaces qui l'entourent. Et ce, depuis l'Antiquité. L'homme préhistorique dessinait sur les murs des cavernes. Les Égyptiens décoraient les murs à l'intérieur des pyramides. Les Romains peignaient les murs de leurs villas et, bien avant eux, les Mycéniens qui vivaient en Crète coloriaient les murs de leurs maisons et leurs

poteries. De fait, les poteries mycéniennes, qui remontent à 4 000 ans, sont les premières répertoriées arborant un fini faux-marbre. Ce qui tend à établir l'honorabilité de cette forme d'art que sont les finis décoratifs, mais qui n'explique en rien son regain de popularité. Pourquoi aujourd'hui ?

La réponse est de trois ordres. Ce peut être une réaction à la morosité des décors du milieu du vingtième siècle ; cet engouement peut refléter un goût grandissant pour les objets plus raffinés, pour des maisons plus agréables et plus personnalisées. Chose certaine, cela démontre une tendance marquée à l'individualisme et au goût de se distinguer, à une époque où tout est pré-usiné, fabriqué en production massive et mis en marché à grand renfort de publicité.

Au fil du temps, les finis décoratifs n'ont cessé d'apparaître et de disparaître selon les modes. Mais ils refont toujours surface, joignant l'utile à l'agréable.

L'effet de marbre

Durant la Renaissance, malgré l'abondance de marbres exquis, on prisait également les faux-marbres peints à la main. L'habileté à recréer la vraisemblance du marbre relevait du grand art. Au début du vingtième siècle, dans les églises, on remplaçait le véritable marbre par du marbre peint pour deux raisons. C'était moins coûteux et les structures de soutènement des murs et des colonnes étaient trop faibles pour pouvoir supporter le poids de la pierre. C'était tout un défi pour l'artiste d'atteindre la vraisemblance au point de confondre les observateurs.

La popularité du faux-marbre se poursuivit durant la période baroque, puis s'estompa graduellement durant plusieurs siècles. Elle reprit au milieu du dix-huitième siècle, avec la découverte de Pompéi. L'impact que cette découverte archéologique eut sur l'art occidental et la politique dépasse l'entendement. Cette découverte suscita un intérêt foudroyant pour l'Antiquité classique et donna naissance au mouvement néoclassique en architecture et en arts décoratifs, tandis que réapparaissaient des républiques démocratiques.

À la fin du dix-huitième siècle, la conception des intérieurs et du mobilier domestiques avait des prétentions artistiques. Nous devons au grand architecte britannique Rober Adams d'avoir intégré le néoclassicisme à l'architecture et au mobilier. Partout en Europe et en Amérique, l'intérêt pour les finis marbre, appelés faux-marbres, et les décors bois, appelés faux-bois, s'est maintenu jusqu'au dix-neuvième siècle.

La popularité de ces deux techniques demeura très forte, particulièrement au début du dix-huitième siècle, sous l'Empire français, la Régence anglaise et le fédéralisme américain. Cet engouement reflète l'influence du classicisme mais également la réalité des guerres napoléoniennes. Le manque de bateaux transportant des denrées rares comme le marbre et les bois exotiques, jumelé aux blocus commerciaux, rendait l'approvisionnement impossible. Cela expliquerait en partie la raison pour laquelle Delly Madison et son architecte Bemjamin Latrobe optèrent pour le faux-marbre dans le bureau ovale, quand ils décorèrent la Maison Blanche en 1811. Heureusement que les Britanniques ont échoué dans leur tentative de brûler cette résidence en 1814.

Faux-bois

La technique du faux-bois remonte aussi loin que celle du faux-marbre. Depuis des temps immémoriaux, la technique du faux-bois fut utilisée pour donner au bois terne et même à des surfaces faites d'autres matériaux l'apparence de bois exotiques très rares. Cependant, la popularité de cette technique ne fut pas aussi persistante que celle du marbre, sauf dans l'Égypte ancienne, où le bois était très rare. À quel point ? Le sommet des colonnes classiques du Capitole présente des volutes recourbées qui évoquent des colonnes égyptiennes. Celle-ci étaient faites d'un ballot de roseaux de papyrus, à la place de bois ou de pierre. Le haut des roseaux se recourbait sous l'effet du poids des linteaux et une gerbe apparaissait, ce qui donna naissance à un nouveau motif classique.

Le faux-bois a eu sa place durant certaines périodes dans l'histoire des finis décoratifs européens, mais il a toujours eu la cote d'amour aux États-Unis. Cette popularité plus grande que celle du faux-marbre reflète le goût prononcé des Américains pour le bois.

La technique du faux-bois a gagné ses lettres de noblesse et fut promue au titre d'art au dix-neuvième siècle, grâce au développement technologique qui rendit possible la fabrication

de meubles en contreplaqué. Il était alors de bon ton d'employer, pour contreplaquer, des bois tropicaux comme l'acajou. Rares, dispendieux et très convoités, ces bois firent jaillir l'idée de faire des imitations avec de la peinture. Cette technique gagna rapidement la faveur populaire en Angleterre et aux États-Unis, bien entendu.

À vrai dire, peindre des meubles en pin auxquels on donne l'apparence de bois durs et plus recherchés est une technique importée par les Britanniques, les Hollandais et les Scandinaves qui fait maintenant partie des traditions américaines. Au début, leur méthode était plutôt primitive, mais elle avait sont charme, un petit côté naïf, toujours apprécié aujourd'hui.

Les glacis

Les glacis décoratifs ont une histoire similaire. Les artistes italiens du douzième siècle utili-saient des glacis faits d'huile de noix et de vernis. Au début de la Renaissance, ils appli-quaient un glacis d'huile jaune et de vernis sur de l'étain pour donner l'apparence de l'or.

La découverte de la route vers l'Orient eut un impact tout aussi important sur l'art que les excavations à Pompéi. La découverte de la laque orientale, recouvrant des surfaces super reluisantes, amena les plagiaires à imiter ce fini à l'aide de peinture, de laque et de vernis.

À la fin du dix-neuvième siècle, la plupart des peintres résidentiels pouvaient reproduire pour leurs clients les faux-bois, les glacis et les faux-marbres. Parfois ils reproduisaient ces finis manuellement, parfois mécaniquement. Leur habileté allait jusqu'au pochoir de bordures, si populaire dans l'artisanat, l'art nouveau et le mouvement art déco. À la fin des années 1920, c'est l'influence allemande du mouvement Bauhaus qui suscita le modernisme et mit en veilleuse l'art déco. L'ornementation venait d'être mise au rancart, au profit de formes sculpturales sur des murs blancs dénudés. Le style international venait de naître.

Les privations qu'engendra la Dépression et la rareté des matériaux durant la Deuxième Guerre mondiale empêcha la naissance de tout nouveau courant durant

près de 20 ans. Après la guerre, le manque évident de maisons et de logements accentua l'urgence de construire le plus grand nombre de maisons, le plus rapidement possible et au moindre coût. Dans ces conditions, il devenait utopique de suggérer quelque décoration que ce soit, jugée trop coûteuse et inutile. Ce n'est qu'à la fin des années 1970, plus de 30 ans plus tard, que les gens ont commencé à redécouvrir le charme, la durabilité et le côté pratique des finitions décoratives. À mesure que les gens restauraient d'anciennes maisons ou en construisaient de nouvelles, dans un style vieillot, ils découvraient l'importance des faux-finis pour enrichir leur décor. Au moment où les gens se découvrent une attirance pour ces techniques, les industriels emboîtent le pas avec toute une gamme de produits de soutien. Cet intérêt dure depuis suffisamment longtemps pour considérer que - nous en avons maintenant la certitude - ce n'est pas une mode éphémère. Les faux-finis sont ici à demeure !

PREMIÈRE PARTIE

Informations techniques

On retrouve dans chaque technique de fine peinture décorative des couleurs subtiles mais es-sentielles, car elles sont la clef de chaque projet réussi. Pour cette raison, il est important de choisir ses couleurs avant de choisir le procédé. L'idée d'utiliser la couleur comme outil créatif est inté-ressante, mais elle pré-sente également un défi : choisir les bonnes couleurs pour le projet. L'ambiance que vous aurez choisi de créer dépendra

LA MAGIE DES COULEURS

de la technique, de l'harmoni-sation et de la complé-mentarité avec le style et l'usage de la pièce.

Comme on sait, que l'œil humain peut distinguer 10 millions de variations de couleurs, il peut vous sembler décourageant d'avoir à n'en choisir que quelques-unes. Mais ne vous laissez pas paralyser par cette abondance. Commencez par passer en revue les couleurs de base.

La couleur abricot sur les murs de cette salle à manger, où on sert de la nourriture et où les gens sympathisent, est un excellent choix. C'est chaleureux et gentiment équilibré avec le vert frais de la pièce voisine.

Trois couleurs différentes *appliquées en motif arlequin donnent fière allure à ce paravent.*

Ce chapitre donne un aperçu des principes de couleurs reconnus en décoration intérieure. Vous apprendrez comment fonctionne la perception des couleurs, comment les combiner et comment les utiliser avec assurance.

Pour commencer, il est important de bien comprendre ces trois points fondamentaux :

- La couleur est complexe.

- Les préférences en matière de couleurs sont extrêmement personnelles.

- Aucune couleur ne se tient quand elle est seule ; elle a besoin des autres pour se donner du caractère et se modifier. Autrement dit, elle appartient à un ensemble.

En fait, c'est la combinaison des couleurs, cette ingénieuse harmonie des nuances avec l'environnement, qui donne à la couleur ce pouvoir magique qui fait le délice des yeux, inspire l'imagination et rassure l'âme tout à la fois.

Qu'est-ce que la couleur ?

Chaque couleur possède trois qualités : la *teinte* (qui est un autre terme pour désigner la couleur et que l'on emploie pour indiquer à quelle famille particulière appartient une couleur), la *valeur* et l'*intensité*. La combinaison de ces trois caractéristiques détermine l'identité propre d'une couleur donnée. Bien que ces trois points soient d'égale importance, de toute évidence, la valeur et l'intensité n'ont de sens sans la teinte. La teinte est donc primordiale. C'est également la plus facile à comprendre, parce qu'elle est le principe même de la roue des couleurs, cette figure qui montre de quelle façon les couleurs sont divisées et de quelle manière elles s'interinfluencent. (Voir l'illustration ci-dessous)

La roue des couleurs

Vous croyez voir de la couleur. En réalité et scientifiquement parlant, ce que vous voyez, c'est la lumière qui se reflète à travers des objets, qu'il s'agisse d'un bouquet de fleurs, d'une robe ou d'un mur peint. La lumière est l'effet de radiations électromagnétiques (énergie) qui transmettent des ondes à partir d'un objet jusqu'à vos yeux. Votre nerf optique transforme ces ondes lumineuses en signaux électrochimiques qui correspondent à une couleur précise dans votre cerveau. Parce que les ondes lumineuses sont de différentes portées et que chaque longueur d'onde crée une couleur précise, la couleur exacte que vous percevez dépend du nombre et de la longueur des ondes de lumière que reflète l'objet. La pein-ture contient une substance appelée pigment, qui reflète des ondes lumineuses de différentes longueurs, ce qui lui donne sa couleur.

La lumière du soleil est la forme la plus pure de lumière. Quand elle traverse un prisme, sa longueur d'onde atteint différents angles et se fracture en rayons aux couleurs de l'arc-en-ciel. Ce phénomène est appelé spectre visible. Toute les cou-leurs pures apparaissent dans cette bande, en partant du violet, qui correspond à la longueur d'onde la plus courte, en passant par le bleu, le vert, le jaune et l'orangé, jusqu'au rouge, correspondant à la plus longue des longueurs d'onde. Les couleurs apparaissent toujours dans cet ordre. Étudiez attentivement cette bande et vous constaterez que, bien que chaque couleur soit distincte en soi, chacune est la continuité de la couleur voisine, peu importe le côté, jusqu'à ce que 12 couleurs précises apparaissent visi-blement. Ces 12 couleurs constituent la roue des couleurs. Pour faciliter la compréhension, les experts divisent les couleurs en trois groupes : primaires, secondaires et intermédiaires.

La roue des couleurs

**Couleurs
primaires**

**Couleurs
secondaires**

**Couleurs
intermédiaires**

Les trois couleurs primaires, le rouge, le jaune et le bleu, sont appelées ainsi parce qu'en peinture, elles ne sont pas le résultat d'un mélange ; bien au contraire, ce sont elles qui servent à créer les autres couleurs. Le dictionnaire les appellent « couleurs primaires psychologiques » parce que le tableau des couleurs en peinture et la roue des couleurs ne sont qu'une représentation abstraite. Par exemple, la couleur rouge dans ce livre est imprimée à partir du procédé des « primaires soustractives ». On a utilisé du magenta, du jaune, du cyan (bleu pâle), additionné de noir. Toutefois, pour le mixage des peintures, les couleurs primaires devraient servir de guide. Dans ce système, ces trois couleurs sont équidistantes sur la roue des couleurs, séparées par toutes les couleurs dérivées.

Les trois couleurs secondaires, orangé, vert et violet, s'obtiennent par une combinaison égale de deux couleurs primaires. Le rouge et le jaune donnent l'orangé, le jaune et le bleu donnent le vert, et le bleu et le rouge, le violet. Chaque couleur secondaire se trouve à mi-chemin entre ses deux couleurs primaires.

Les six couleurs intermédiaires, rouge-orangé, jaune-vert, bleu-vert, bleu-violet et rouge-violet, font le pont entre les couleurs primaires et secondaires. Chaque couleur inter-médiaire est faite d'une combinaison d'une couleur primaire avec une couleur secondaire. Par exemple, jaune combiné au vert donnera un jaune-vert.

Ces 12 couleurs constituent la roue des couleurs. Cette façon de les voir n'est pas une règle immuable, mais leur position sur la roue suscite des combinaisons naturelles de couleurs qui se marient toujours bien. Les cinq combinaisons de couleurs les plus courantes sont les suivantes.

Couleurs complémentaires. Les couleurs en opposition directe sur la roue s'équilibrent parfaitement quand elles sont utilisées ensemble. Le rouge et le vert sont complémentaires. Bleu-vert et rouge-orangé le sont également. Notez que chaque ensemble de couleurs complémentaires contient toutes les couleurs primaires. Si vous mélangez ensemble les couleurs complémentaires, elles se neutralisent et il en résulte un gris terne et monotone.

Couleurs analogues. Ce sont n'importe lesquelles des trois couleurs qui se suivent sur la roue des couleurs. Jaune-orangé, jaune et jaune-vert sont des couleurs analogues.

Couleurs en triade. Chaque ensemble de trois couleurs équidistantes sur la roue sont des couleurs en triade. Par exemple, rouge, jaune et bleu sont des couleurs en triade.

Couleurs complémentaires divisées. Il s'agit de l'association d'une couleur avec les couleurs voisines de son complément. Bleu-vert, dont le complément est rouge-orangé, forme une combinaison complémentaire divisée quand on l'utilise avec de l'orangé et du rouge.

Couleurs complémentaires doublement divisées. Cette combinaison inclut quatre couleurs, une de chaque côté de deux couleurs complémentaires. Jaune-vert et jaune-orangé, placés de chaque côté du jaune, forment une combinaison complémentaire divisée avec le rouge-violet et le bleu-violet, situés de chaque côté du violet, complémentaire au jaune.

Couleurs complémentaires

Couleurs analogues

Couleurs en triade

Couleurs complémentaires divisées

Couleurs complémentaires doublement divisées

Expansion de couleurs

Les 12 teintes pures et leurs combinaisons ne sont que des suggestions. C'est en réalité un pâle reflet de l'éventail de couleurs possibles. Il ne manque plus que deux groupes de couleurs pour étoffer la roue des couleurs de base : les couleurs complexes et les couleurs neutres.

La neutralité du blanc contraste avec l'intensité du vert-lime sur ce mur à carreaux.

Couleurs complexes. Elles sont le troisième et quatrième niveaux de couleurs, résultant de deux autres types de combinaisons. Mélangez deux couleurs secondaires et vous obtiendrez une couleur tertiaire. Par exemple, mauve et orangé produisent un riche marron sur fond mauve. Mélangez deux couleurs tertiaires et vous obtiendrez une couleur quaternaire. Bien qu'elles soient moins vibrantes, ces mariages de couleurs sont plus riches et plus subtils que les teintes pures.

Couleurs neutres. Elles incluent les trois classiques : blanc, noir et gris. Le blanc et le noir ne sont pas des couleurs à proprement parler, puisqu'elles reflètent ou absorbent toutes les ondes lumineuses du spectre visible et ne produisent respectivement que du blanc ou du noir. Le gris pur est le résultat d'un mélange de blanc et noir dans des proportions variées.

Valeur et intensité

Dans les couleurs, deux autres caractéristiques entrent en jeu. Vous aurez sans doute remarqué que les teintes pures sont rarement utilisées en décoration intérieure. Surtout pas ensemble et rarement sur de grandes surfaces. La raison en est simple, elles sont trop fortes. Alors, ces couleurs sont modifiées pour les rendre moins intenses, plus sophistiquées, plus harmonieuses. C'est l'occasion de varier les teintes en augmentant ou en diminuant les nuances contenues dans l'incroyable variété de la palette de couleurs. Il est cependant important de comprendre que ces changements ne modifient en rien l'interrelation des couleurs de base entre elles. En fait, elles se mettent en valeur ensemble pour laisser libre cours à votre imagination, pour créer les contrastes de nuances essentiels au succès de votre entreprise.

Valeur

La valeur renvoie au degré plus ou moins clair, plus ou moins foncé de la couleur. Vous pouvez faire varier la valeur en ajoutant du blanc ou du noir à une teinte pure. Ajoutez du blanc et vous aurez un *ton pâle*. Ajoutez davantage de blanc, et plus léger et plus pâle sera le ton. Les couleurs très claires sont dites *pastel*. Ajoutez du noir et vous aurez un ton foncé. Plus vous ajoutez de noir, plus foncé et plus voilé sera le ton.

Dans la roue des couleurs, les tons pâles s'étalent à l'intérieur des couleurs pures et progressent vers le centre en devenant plus claires. Les tons foncés s'étalent à l'extérieur et s'assombrissent en progressant vers le périmètre.

Pour juger de la valeur réelle d'une couleur, comparez-la à l'échelle des gris neutres. Cette échelle est une grille verticale, divisée en 11 sections allant du blanc pur au noir complet. Entre les deux s'étalent progressivement des nuances plus sombres de gris qui s'intensifient de 10% à chaque section, le centre correspondant au gris moyen. Toutes les couleurs au même niveau sur l'échelle ont la même valeur. On utilise cette échelle dans l'appareil qui analyse les couleurs des tissus, afin que les marchands de peinture puissent reproduire dans la peinture la même couleur qu'un tissu.

Peu importe la couleur, des valeurs différentes créent l'atmosphère d'une pièce. Tous les tons clairs, incluant les couleurs neutres et pâles, produisent un effet aéré, doux et lumineux, ce qui les rend très populaires en décoration intérieure. Les tons foncés produisent un effet ordonné, empreint de dignité, et une ambiance cosmopolite.

Chaque couleur de la roue des couleurs peut se mélanger au blanc, qui pâlit progressivement les couleurs, comme à gauche, alors qu'en utilisant du noir, vous assombrissez les couleurs, comme à droite.

Les tons plus foncé *sont principalement utilisés pour les accessoires, bien qu'ils puissent donner à un mur une allure très sophistiquée.*

Le bourgogne et le vert foncé sont à ce titre les choix les plus populaires. Bien que ces couleurs se prêtent à merveille à un décor sophistiqué, elles assombrissent énormément et trouvent meilleur usage comme couleurs d'appoint. Les couleurs brillantes, qui s'approchent le plus des couleurs pures, transmettent une énergie et une exubérance très contemporaine, qui est chaleureuse et stimulante. C'est encore plus vrai quand on utilise ensemble deux ou trois de ces couleurs. C'est pourquoi les couleurs voyantes sont la plupart du temps utilisées dans des endroits animés, comme les salles de jeu et les chambres d'enfant, ou encore sur un mur d'appoint

dans une pièce. Sur une grande surface, l'effet de ces couleurs peut être atténué si on les entoure de plusieurs surfaces peintes en blanc.

Intensité

L'intensité, également appelée *chroma*, décrit la brillance d'une couleur (parfois appelée *pureté)* ou son manque d'éclat (ou *saturation*), sans relation avec son ton. Autrement dit, une couleur foncée peut avoir de l'éclat, tout autant qu'une couleur pâle peut avoir l'air éteinte.

Pour améliorer l'éclat d'une couleur, ajoutez davantage de couleur pure. Plus la teinte est pure, plus votre couleur sera éclatante et intense. Il y a trois façons de diminuer l'intensité d'une couleur. Par ordre de préférence :

- Ajouter sa teinte complémentaire de même valeur.
- Ajouter une couleur naturelle qui équivaut à son complément.
- Ajouter du noir.

Les couleurs naturelles, jaune ocre, sienne brut, sienne brûlé, ambre brut, ambre brûlé et noir geai, sont les bases de pigmentation que les artistes peintres utilisent dans la peinture à l'huile. Elles sont toutes faites à base de poudres issues de pigmentations naturelles, colorées par des minéraux (surtout l'oxyde de fer), sauf le noir geai, qui est du pur carbone.

Quand vous choisissez une teinte, rappelez-vous que la valeur, c'est-à-dire la clarté ou la profondeur d'une couleur, influence l'ambiance d'une pièce. Toutes les teintes, incluant les couleurs neutres et pâles, produisent un effet aéré, doux et lumineux.

Chacune complète une couleur pure et peut servir à atténuer ou diminuer l'intensité d'une couleur et de son complément naturel. Le jaune ocre, par exemple, est un jaune terne qui émousse l'intensité d'autres couleurs, particulièrement les autres jaunes, les verts et les mauves, ses compléments naturels. Plus vous ajoutez de couleurs naturelles, plus vous obtiendrez des résultats grisâtres et monotones. Pour de meilleurs résultats, prenez conseil dans une boutique de matériel d'artiste et demandez quelles couleurs pourraient contribuer à créer vos propre teintes.

Les effets physiques et psychologiques de la couleur

Le pouvoir des couleurs réside dans sa capacité à influencer tout ce qui les entoure, incluant l'humeur des gens dans la pièce. La longueur d'onde de la luminosité des couleurs affecte leur température visuelle et leur quotient émotionnel.

Température visuelle

Le vert pâle de ces murs procure une sensation de fraîcheur dans cette pièce.

Chaque couleur possède une température, qui peut être froide ou chaude. Les *couleurs chaudes* contiennent du rouge ou du jaune et s'étendent du rouge-violet au jaune-vert. Elles sont stimulantes et invitantes à cause de la grande portée de leur longueur d'onde qui avance vers vous, les faisant paraître plus proches qu'elles ne le sont en réalité. C'est la raison pour laquelle elles donnent l'impression que la pièce est plus petite.

Les *couleurs froides* contiennent du bleu, dans un éventail de vert à violet, mais le terme s'applique aussi aux couleurs neutres comme le blanc, le noir et le gris. À cause de leur longueur d'onde plus courte, les couleurs froides donnent l'impression de s'éloigner, faisant paraître les pièces plus grandes, ce qui procure ainsi une sensation de fraîcheur, de calme.

Des études scientifiques ont prouvé que la couleur influence la température du corps. Dans ces études, les participants ont affirmé se sentir plus au chaud dans une pièce aux couleurs chaudes que dans une pièce peinte en blanc ou en tout autre couleur froide, même si le thermomètre dans les deux pièces indiquait la même température. Des test similaires ont montré que les personnes placées dans une pièce bleu ou grise faisant face à l'ouest se sentaient plus au frais, par un après-midi de canicule, qu'un autre groupe, dans une pièce également orientée vers l'ouest, mais qui était peinte de couleurs chaudes.

Quotient émotionnel

Le quotient émotionnel décrit la capacité des couleurs à produire des réactions émotives chez les gens. Pensez seulement aux expressions courantes qui décrivent une émotion et qui comportent une couleur. Des expressions comme vert de peur, rouge de colère, avoir les bleus, broyer du noir, peur bleue, etc. Pensez donc aussi en termes de couleurs émotionnelles quand vous concevrez votre projet d'ensemble. Idéalement, vous voudrez que vos couleurs créent une ambiance adaptée à vos goûts et à vos besoins, tout en enjolivant la pièce.

Rouge. Le rouge a la plus longue longueur d'onde de toutes les couleurs du spectre visible. Ce qui signifie qu'il se rapproche de vous, ce qui le rend audacieux, énergique et chaleureux. Le test scientifique effectué sur les couleurs, mentionné précédemment, a montré que le rouge pur, qui s'approche le plus de l'infrarouge dans le spectre visible, peut augmenter les pulsations cardiaques et la température du corps. Ce pouvoir en fait la couleur officielle de la royauté. C'est aussi un symbole de courage et de bonne santé, et c'est également la couleur de la succulence. La nourriture rouge est toujours attirante : tomates, fraises, pommes, cerises... Mais c'est une couleur de contradictions. Par exemple, le

Le rouge-orangé de cette salle à manger donne un effet énergisant. L'arrangement est propice aux discussions animées pendant les repas et stimule même l'appétit. Cette palette de couleurs intense plaît à la plupart des gens, mais elle doit être placée dans un coin de la maison où les gens ne passent pas trop de temps.

rose, qui est une teinte du rouge, symbolise la féminité et la gentillesse, alors que le rouge pur est une couleur d'uniforme militaire et de panneaux de stop. Vibrant et passionné, le rouge est apprécié de tous, particulièrement des enfants, mais sa teinte pure est rarement choisie pour couvrir de grandes surfaces, parce qu'elle est trop puissante.

Une variété de teintes et de nuances de jaune crée une ambiance joyeuse dans la chambre ci-dessus.

Un délavé rafraîchissant de vert-lime donne au mur de droite une allure luxuriante.

Jaune et orangé. Le jaune et l'orangé ont aussi une très longue longueur d'onde et sont tout aussi stimulants que le rouge, mais ils possèdent également leurs propres qualités. L'excitation qu'ils provoquent est plutôt festive et réjouissante qu'énergisante et hardie, éclatante plutôt que purement stimulante. Ils sont la réminiscence de la chaleur du soleil et du feu, des fleurs de fin d'été et de métaux précieux. Ces deux couleurs existent en plusieurs variétés : du jaune effacé de bananes pelées au doré plus profond des chrysanthèmes d'automne, du succulent rouge-orangé des pêches aux orangés flamboyants des feuilles d'automne. Ces couleurs donnent de la vie à une pièce. Elles sont parfaites pour une pièce où l'on sert de la nourriture, où on reçoit ses amis, où on festoie.

Vert. Couleur dominante dans la nature, le vert symbolise le confort et l'abondance. À ce titre, il a plusieurs subtilités et peut être changeant comme les saisons. Il peut être calme et reposant tout en étant luxuriant et plein de vitalité. Du jaune-vert pâle des limes à l'éclatant jaune-vert des pommes Granny Smith, du riche vert des émeraudes au vert profond des forêts et des antiques bouteilles de vin, on trouve une vaste gamme de verts. Les pièces peintes en vert ont tendance à dégager une atmosphère de calme et de relaxation. Ce sont ces qualités qui ont inspiré les gens de théâtre quand ils ont baptisé « salon vert » la pièce où les acteurs vont décompresser entre deux représentations.

Bleu. Couleur du ciel et de l'eau, le bleu peut être à la fois doux, froid et reposant. Mais comme sa longueur d'onde est très restreinte, il donne l'impression de reculer, créant une illusion d'espace. Il conjure les images de timidité, de réserve, de formalité, même d'angoisse et de tristesse. C'est une couleur qui a la cote, à cause de ces associations, ce qui la rend agréable aux yeux et calmante pour les nerfs. Les bleus s'échelonnent des turquoises aux bleu-vert, qui sont plus bleus que verts, jusqu'aux bleu-violet. Toutes ces couleurs sont d'excellents choix pour des pièces destinés à la relaxation et au sommeil.

Un bleu reposant sur les murs d'une chambre à coucher peut s'avérer très reposant et relaxant.

L'effet ombragé de rouge et rouge-violet donne une allure royale sur ce mur d'appoint.

Violet. Le violet ou le mauve est une couleur souvent associée à la passion. D'un côté il évoque des images de luxe, de royauté et d'émotions. De l'autre, sa longueur d'onde réduite, la plus courte du spectre visible, le fait reculer visuellement. Cette complexité vient peut-être du fait que le violet est le chaînon reliant les couleurs chaudes aux couleurs froides quand vous tournez le spectre visible dans la roue des couleurs. Dans sa teinte pure, le violet est une couleur difficile à utiliser en décoration intérieure, sauf comme couleur d'appoint. Pourtant, sa teinte et ses nuances, comme celles de ses couleurs analogues, rouge-violet et bleu-violet, font de très attrayantes couleurs de décoration.

Tons de terre. Les tons de terre sont plutôt des tons de brun et d'autres tons neutres que l'on retrouve dans la nature. En peinture, ce sont des couleurs tertiaires et quaternaires, obtenues par un mélange de différentes combinaisons de couleurs secondaires et tertiaires. Elles s'échelonnent du crème pâle de la coquille d'œuf et du beige doux du sable au riche brun du bois traité et au brun foncé de l'écorce des

Une combinaison de tons de terre avec *des nuances de gris souligne l'aspect texturé de cette salle de bains moderne. La qualité voilée de ces tons lui confère une élégance indiscutable.*

arbres et de la terre fraîchement retournée. La qualité voilée des tons de terre confère sans contredit à ces couleurs douceur et élégance. Pourtant, elles sont souvent associées aux textures, notamment celles qu'on obtient à l'aide des techniques de peinture décorative. Les tons de terre peuvent alors donner des finis très jolis et très attirants. Avec ou sans texture, ces couleurs font un excellent arrière-plan pour les couleurs vives.

Noir et blanc. Le noir est l'opposé du blanc. Alors que le blanc reflète toutes les couleurs du spectre visible, le noir les absorbe toutes. Elles sont les symboles du jour et de la nuit, du bon et du mauvais, du triste et du joyeux. Cet intense et absolu contraste fait que, mis ensemble, le noir et le blanc ont un effet spectaculaire. Raffinées et sophistiquées, ces couleurs sont le nec plus ultra du style.

Trouver des combinaisons de couleurs harmonieuses

Choisir des couleurs qui spontanément vous attirent est une excellente chose, vous vous sentirez naturellement très à l'aise. Alors au moment de faire votre choix de couleurs, interrogez-vous. Aimez-vous vraiment ces couleurs ou vous attirent-elles parce qu'elles sont nouvelles et à la mode ? Pourquoi ces couleurs vous émeuvent-elles ? Que vous font-elles ressentir ? Pourriez-vous vivre longtemps avec ces couleurs ? En abondance ? Conviendront-elles au style et à l'usage de votre pièce ?

Par-dessus tout, ne commettez pas l'erreur coûteuse que font certains débutants, qui mettent leur couleur préférée partout, sans effets de contrastes et de textures, sans nuances ni variation d'intensité. Sans couleurs d'appoint, la couleur préférée va perdre de son effet et devenir monotone.

Vous pouvez apprendre énormément en étudiant les combinaisons de couleurs autour de vous. Vous pouvez trouver des idées géniales et créatives dans la nature autant qu'auprès de spécialistes. En scrutant votre environnement, vous découvrirez une infinie variété de combinaisons. Voici quelques endroits où vous pouvez commencer votre incursion :

Nature. Vous découvrirez la richesse des couleurs qu'offre Dame nature, des plus petites fleurs et des grands feuillages des jardins jusqu'aux oiseaux au-dessus de votre tête.

Musées et livres d'art. Toutes les œuvres d'art sont d'excellentes sources d'inspiration. Les tableaux et les tapisseries nous apprennent beaucoup, particulièrement le travail des impressionnistes français. Fascinés par la lumière, ils ont découvert qu'en juxtaposant des couleurs, elles se fondent visuellement pour créer de nouvelles couleurs quand on les regarde d'une certaine distance. Peintures empreintes de la luminosité naturelle du soleil, ces œuvres présentent exactement l'éclat que vous cherchez peut-être à obtenir dans votre projet de peinture décorative.

Tissus. Les tissus décoratifs imprimés, particulièrement les plus délicats, sont également une bonne source d'inspiration. Les tapis orientaux, les meubles rembourrés et les tissus de rideaux vous apprendront comment maîtriser le mélange des couleurs, les valeurs, les intensités et les textures. Les livres d'échantillons de papier peint sont également une source d'inspiration. Vous pourrez peut-être les emprunter pour les étudier à loisir chez vous.

Revues de décoration. Ces publications retiennent les services de décorateurs professionnels pour monter les décors qui illustrent les articles et même concevoir les publicités. Ce qui fait de ces revues une

Un coquet jardin de fleurs, à gauche, est l'endroit rêvé pour trouver des idées de couleurs.

Des pierres naturelles ont inspiré l'agencement des couleurs de cette pièce, ci-dessous.

excellente source d'inspiration. Elles vous font voir des intérieurs aménagés par des professionnels et des couleurs choisies avec beaucoup de perspicacité. Les revues de mode sont également de bonnes sources, parce que la haute couture détermine souvent des tendances dont les décorateurs vont éventuellement s'inspirer. Découpez les échantillons qui vous intéressent et conservez-les dans un classeur que vous réserverez pour les couleurs.

Boutiques de meubles. Prenez la peine d'aller fouiner dans les décors d'intérieurs que présentent les boutiques de beaux meubles. Créés par des décorateurs chevronnés, ces décors sont destinés à mettre en valeur le mobilier, grâce notamment à un environnement de couleurs dernier cri.

Le système des couleurs de peinture. Vous êtes-vous déjà demandé combien il y a de couleurs de peinture ? Regardez simplement l'éventail d'échantillons que proposent les fabricants dans les présentoirs des comptoirs de peinture. Le choix est incroyable. Un fabricant en offre à lui seul plus de 6 000, ce qui démontre combien il existe de variations possibles. Ces échantillons de couleurs viennent confirmer ce que vous avez appris au sujet des combinaisons de couleurs et à quel point un changement de valeur ou d'intensité peut les modifier. Apportez à la maison autant d'échantillons dans autant de couleurs que vous pouvez et regroupez-les en plusieurs combinaisons. C'est une bonne façon de mettre en pratique ce que vous avez appris.

Étudiez toutes ces possibilités avec un œil critique, en recherchant principalement deux choses : comment utiliser la valeur et l'intensité pour modifier les teintes, et comment jouer avec les proportions parmi une variété de couleurs. Référez-vous à la roue des couleurs et notez les combinaisons que vous trouvez agréables et qui conviendront à la mise en œuvre de votre projet.

Ne craignez pas de copier. Vous aurez tôt fait de réaliser qu'il est quasiment impossible de reproduire avec exactitude un ensemble que vous avez vu ailleurs, parce que votre pièce et vos meubles sont différents. Pour conclure, vous vous adapterez et ferez les correctifs qu'il faut, de la même manière que quand vous essayez une nouvelle recette. Cette adaptation reflète votre personnalité. En cours de route, méfiez-vous de la popularité des couleurs trop en vogue. Les fabricants ont le don d'inventer des modes et de changer souvent les couleurs pour vendre leurs produits. Les couleurs peuvent vous sembler rafraîchissantes et parfois exotiques quand elles arrivent sur le marché, mais elles peuvent rapidement devenir tellement envahissantes que l'on a peine à trouver d'autres couleurs sur le marché. Graduellement, ce qui semblait nouveau et excitant devient ordinaire, désuet et vieillot. Pour éviter de tomber dans le panneau de ces tendances, toujours changeantes, optez pour des couleurs que vous aimez et qui conviennent bien à votre maison, quelles qu'elles soient. Si vous apprenez à utiliser les couleurs avec finesse, vous n'aurez plus à redouter un décor monotone ou démodé.

Concevoir votre agencement de couleurs

Commencez par analyser comment les techniques de peinture décoratives pourraient améliorer la pièce. Ne choisissez aucune couleur et n'optez pour aucune technique avant d'avoir soigneusement étudié la pièce que vous voulez peindre : ses dimensions, son utilité, le style vous voulez lui donner, ses caractéristiques architecturales. Reçoit-elle la lumière du jour ou sera-t-elle éclairée artificiellement ? Donne-t-elle sur un jardin ou sur la rue ? Est-ce un lieu officiel où vous recevrez des invités de marque ou une salle familiale confortable où vos amis se sentiront les bienvenus ? Vous choisirez peut-être de décorer une chambre de bébé de couleurs pastel, douces et rassurantes, ou une salle de jeu d'enfant avec des couleurs audacieuses et énergisantes. Peut-être s'agit-il d'une pièce chaude où le soleil entre à pleines fenêtres que vous voulez rafraîchir avec des couleurs plus sombres ! Ou encore la chambre principale que vous souhaitez rendre plus intime et plus personnelle !

Choisissez laquelle de ces caractéristiques est la plus importante, choisissez la technique qui convient et les couleurs appro-priées. Les possibilités sont sans limites. Choisissez vos couleurs à partir de celles d'un rideau, d'un fauteuil ou d'un tableau, ou pensez à une peinture neutre pour l'en-semble que vous nuancerez de teintes vibrantes sur les boiseries ou sur un meuble.

Bordure

Échantillons de couleurs

Frange

Papier peint

Taie d'oreiller

Canapé

Fauteuil

Moquette

Élaborez un modèle de combinaisons à l'aide d'une planche sur laquelle vous poserez des tissus, des sections de moulures, des morceaux de moquette, des bandes de papier peint, des échantillons de peinture, etc.

Les modèles de combinaisons les plus efficaces n'associent pas plus de trois couleurs avec une couleur neutre. Pour assurer votre réussite, utilisez des variantes de valeur et d'intensité, qui vous permettront de créer des contrastes. Regardez où les teintes s'estompent dans la roue des couleurs et sur l'échelle des valeurs. Combinez les couleurs en vous basant sur les principes que nous venons d'énoncer et les leçons que vous avez apprises. Voici quelques conseils :

Monochrome. Utilisez une seule couleur, avec deux ou trois valeurs différentes, comme beige pâle, beige léger et beige moyen, dans deux ou trois différentes proportions pour créer un effet de deux ou trois tons. Il en résultera un beau contraste de texture et un aspect rayonnant.

Analogues. Utilisez des valeurs et des proportions différentes de trois couleurs qui se suivent sur la roue des couleurs, ou encore utilisez des proportions et des valeurs différentes de trois couleurs neutres. Trois couleurs pastel de même valeur constitue une combinaison harmonieuse et douce aux yeux. Plus les couleurs sont pâles, plus elles sont compatibles. Il en va de même pour les couleurs neutres.

Une couleur dominante. Utilisez une couleur dominante pour l'ensemble, avec des touches de couleurs complémentaires ou de couleurs complémentaires divisées çà et là.

Deux couleurs dominantes. Prenez en quantités égales deux couleurs tirées d'une combinaison courante, mais harmonisez-les avec des contrastes en valeur et en intensité. Ou utilisez-les également dans une couleur de base neutre, que vous appliquerez en mince glacis ou en lavis.

Triade. Choisissez trois couleurs équidistantes sur la roue des couleurs. Une couleur sera dominante. Utilisez la moitié de la quantité précédente pour la seconde couleur et prenez la troisième couleur pour faire ressortir.

13 Techniques de décorateur
Pour marier la couleur avec l'espace

De la même manière que la couleur a une influence à la fois physique et émotionnelle, elle a la capacité de mouler visuellement un espace. Elle influence la perception des dimensions et des formes, camoufle les défauts, met en valeur les bons endroits et crée une harmonie dans toute la maison.

1. Pour modifier les dimensions d'une pièce, appliquez une légère couleur froide, qui la fera paraître un peu plus grande, plus aérée. Une couleur chaude ou foncée la fera paraître plus petite et plus intime.

2. Les pièces qui font face au nord ou à l'est ont tendance à être froides et reçoivent peu de lumière naturelle. Elles ont besoin de couleurs légères ou brillantes et chaudes. Les pièces qui font face au sud, plus chaudes (surtout l'été), et celles qui font face à l'ouest, claires et chaudes (surtout les après-midi d'été) ont besoin de couleurs légères et froides.

3. Pour donner de la hauteur à une pièce, appliquez la peinture des murs jusqu'au plafond. Peignez également les moulures de la même couleur que les murs.

Des taches de couleur appliqué au hasard réchauffent une grande cuisine / salle familiale, comme ci-dessous.

4. Pour rabaisser un plafond haut ou créer plus d'intimité dans une pièce, stoppez la peinture à 22-30 cm (9-12 po) du plafond et accentuez cette limite avec une bordure de papier peint, une moulure ou une bordure au pochoir. L'autre choix est de peindre le plafond avec des touches d'ombre en débordant sur le mur de 22-30 cm (9-12 po) en dessous du plafond. Accentuez également la limite avec une bordure.

5. Pour harmoniser entièrement une pièce, colorez légèrement la peinture blanche du plafond avec un peu de la couleur du mur.

6. Pour camoufler un objet laid, comme un radiateur, peignez-le de la même couleur que le mur, il sera moins voyant.

Grâce à la couleur, ce banc qui dissimule un affreux radiateur semble se fondre dans le mur pour sauvegarder l'espace de ce petit vestibule.

7. Pour mettre en valeur un objet, comme une porte à panneaux, peignez-la d'une couleur qui contraste avec celle du mur.

8. Pour éviter que les couleurs fortes et claires ne soient trop dominantes, peignez en blanc les boiseries, le plafond et tout autre ornement architectural. Cela atténue l'intensité des couleurs en permettant aux yeux de s'offrir du repos.

9. Lorsque les murs sont peints de couleurs foncées ou puissantes, recouvrez-les d'une couche transparente qui ne jaunit pas. Cela augmentera la profondeur et attirera les reflets de la lumière. Cette touche finale est particulièrement importante dans les pièces sombres ou exiguës.

10. Pour uniformiser l'aspect d'une maison avec des murs blancs ou beiges, utilisez la même nuance dans toutes les pièces.

11. Pour créer une forme d'harmonie dans toute la maison, choisissez une couleur de rappel que vous pourrez appliquer de différentes façons dans chaque pièce. Faites en sorte qu'elle soit la couleur dominante dans une pièce, secondaire dans une autre, couleur d'appoint dans la troisième, couleur des accessoires dans la quatrième et ainsi de suite.

12. Pour maintenir l'unité dans une maison où chaque pièce a une couleur différente, utilisez une couleur neutre pour les endroits de transition comme les couloirs. Non seulement ce procédé sépare-t-il les espaces sur le plan visuel, mais il empêche aussi les couleurs de s'entrechoquer.

13. Pour éviter que les couleurs ne se heurtent quand elles se rencontrent, utilisez la même technique d'application pour toutes. Les textures similaires aident les couleurs à se marier.

GLOSSAIRE DES COULEURS

Contrastes : art d'assembler les couleurs de différentes valeurs et intensités, dans des proportions variées, afin de créer une harmonie visuelle dans un agencement de couleurs.

Couleurs analogues : n'importe lesquelles des trois couleurs qui se suivent sur la roue des couleurs.

Couleurs chaudes : les rouges, les orangés et les jaunes autant que les bruns.

Couleurs complémentaires : couleurs opposées les unes aux autres sur la roue des couleurs.

Couleurs complémentaires doublement divisées : couleurs situées de chaque côté de deux couleurs complémentaires sur la roue des couleurs.

Couleurs complémentaires divisées : couleurs jumelées aux couleurs situées de chaque côté de leur couleur complémentaire.

Couleurs combinées : regroupement de couleurs utilisé afin de créer l'harmonie visuelle dans un espace.

Couleurs froides : les bleus, les verts et les violets.

Couleurs fuyantes : les couleurs froides. À l'instar des couleurs pâles, les couleurs fuyantes donnent l'impression que les surfaces s'éloignent de l'œil.

Couleurs indigènes : pigments non organiques dérivés de minéraux et utilisés pour faire les couleurs des artistes peintres.

Couleurs intermédiaires : rouge-orangé, jaune-orangé, jaune-vert, bleu-vert, bleu-violet et rouge-violet, soit les six couleurs obtenues avec un mélange égal de couleur primaire et de couleur secondaire.

Couleurs primaires : rouge, jaune et bleu, soit les trois couleurs visibles du spectre qui ne peuvent être divisées en d'autres couleurs. En variant les combinaisons et les couleurs, elles sont la base de toutes les autres couleurs.

Couleurs quaternaires : couleurs obtenues par un mélange de deux couleurs tertiaires.

Couleurs qui avancent : les couleurs chaudes. Comme les couleurs foncées, donnent l'impression d'avancer vers vous.

Couleurs secondaires : orangé, vert et violet, soit les couleurs qui résultent d'un mélange égal de deux couleurs primaires.

Couleurs tertiaires : couleurs obtenues par un mélange de deux couleurs secondaires.

Échelle des valeurs : outil graphique servant à indiquer la gamme des valeurs entre le blanc pur et le noir.

Intensité : brillance ou côté terne d'une couleur. Également appelée saturation ou pureté d'une couleur.

Ombrée : couleur à laquelle on a ajouté du noir pour la rendre plus foncée.

Pastel : couleur à laquelle on a ajouté beaucoup de blanc pour la rendre très claire.

Roue des couleurs : douze couleurs de base disposées en cercle pour indiquer de quelle façon elles sont reliées l'une à l'autre.

Spectre visible : rayons de couleurs que crée le soleil quand il passe à travers un prisme.

Teinte : synonyme de couleur. La plupart du temps utilisée pour décrire la famille à laquelle appartient une couleur.

Teintée : couleur à laquelle on a ajouté beaucoup de blanc pour la rendre très claire.

Tonifiée : couleur à laquelle on a ajouté du gris pour changer sa valeur.

Tons de terre : couleurs neutres qui dominent dans la nature.

Triade : n'importe lesquelles des trois couleurs équidistantes sur la roue des couleurs.

Valeur : légèreté (teintée ou pastel) ou caractère foncé (ombré) d'une couleur.

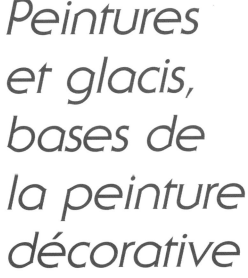

CHAPITRE 2

Les couleurs, les peintures et les glacis vont de pair en peinture décorative. Tout comme la couleur ne peut exister sans teinte, valeur et intensité, il ne saurait y avoir de couleur ici sans peinture ni glacis. Ce sont les bases de ces techniques et les plus importantes composantes de la peinture décorative.

Peintures et glacis, bases de la peinture décorative

Heureusement, grâce à la chimie moderne, il est maintenant possible de fabriquer des peintures dans une variété infinie de couleurs à un prix abordable. On peut également fabriquer d'innombrables recouvrements, faciles à utiliser, et des finis qui font gagner beaucoup de temps dans l'appli-cation des différentes techniques de peinture décorative. Comme vous aurez à mélanger beaucoup de peinture et de glacis, il est de première importance que vous compreniez l'importance du rôle que jouent ces différents recouvrements.

Peinture et glacis ont permis de créer cet exquis fini de plâtre vieillot sur ce mur.

Les composants de la peinture

La peinture intérieure est composée de produits liquides plutôt simples. On y trouve trois ingrédients : pigments, liant et solvant.

Les *pigments*, qu'ils soient naturels ou synthétiques, sont un matériau broyé en fine poudre. Ce sont les pigments qui donnent la couleur à la peinture. Ils peuvent être combinés pour produire une couleur spécifique qui sera ensuite mélangée au liant. Un *liant* est une substance visqueuse et souple qui retient les pigments en suspension et les fait adhérer aux surfaces. Plutôt qu'être dissous, les pigments restent en suspens dans le liant. Pour cette raison, vous devez toujours brasser la peinture avant de l'appliquer (pour mélanger les pigments au liant). Un *solvant* est une substance qui sert à diluer le mélange pigments / liant de façon qu'on puisse l'étendre.

Genres de peinture

L'industrie de la peinture utilise deux sortes de liants pour la peinture d'intérieur: le latex et l'huile. Leur nom sert souvent à décrire le type de peinture.

Latex. Ces peintures contiennent de l'acrylique ou du vinyle et parfois une combinaison des deux. Le genre de résine détermine la qualité de la peinture. Un latex de haute qualité contient 100% de résine d'acrylique. Leur prix est élevé, mais la durabilité de leur fini en fait la meilleure peinture au latex à utiliser pour la peinture décorative. Les peintures au latex de coût moyen, qui contiennent de la réside d'acrylique et de vinyle, sont acceptables pour les finis décoratifs. Les peintures au latex de coût modéré contiennent 100% de résine de vinyle et ne produisent pas les surfaces durables recommandées. Elles doivent être déconseillées pour les finis décoratifs. Utilisez de l'eau pour diluer les peintures au latex.

Huile. Ces peintures contiennent un grand nombre de résines artificielles appelées alkydes, qui ont remplacé les huiles anciennement utilisées comme liant dans les peintures à l'huile d'intérieur. Il arrive que ces alkydes soient combinées à de l'huile végétale pour améliorer leur performance. Les gens ont tendance à employer indistinctement ; les termes « alkyde » et « base à l'huile ». Même s'il y a une nuance, on peut dire un pour l'autre maintenant. L'appellation « base à l'huile » est utilisée tout au long de ce livre afin d'éviter toute confusion, parce que la plupart des produits utilisés avec de la peinture alkyde contiennent une base d'huile soluble dans un solvant.

Utilisez un solvant à base de pétrole pour diluer la peinture à l'huile. Toutes les peintures à l'huile et leurs produits dérivés sont solubles dans un solvant.

Autres genres. En plus des pigments, du liant et du solvant, chaque type de peinture contient des additifs spécialement conçus pour peindre des surfaces précises. Par exemple des *antirouilles* sont ajoutés aux peintures pour les surfaces de métal qui risquent de rouiller, et des *composés texturés* se trouvent dans les peintures pour grain rugueux ou qui confèrent un volume texturé de qualité aux surfaces peintes.

Comparaisons. Chaque type de peinture a ses avantages et ses inconvénients. À cause

Un effet délavé, créé par l'artiste Lucianna Samu, fait ressortir cette murale.

de sa base à l'eau, la peinture au latex sèche rapidement et se nettoie facilement à l'eau et au savon. Elle dégage peu ou aucune odeur, elle ne s'enflamme pas et est sécuritaire. La rapidité de séchage réduit l'attente entre les différentes couches, mais laisse moins de temps pour travailler les techniques délicates comme le faux-marbre. Bien que le latex s'enlève facilement quand il est mouillé, il devient permanent en séchant. L'eau ne suffira pas à l'enlever. Vous aurez besoin d'alcool dénaturé (ou un couteau tout usage) pour enlever les taches et les dégoulinures. La peinture au latex produit un fini plus opaque que la peinture à l'huile.

Comme l'ancienne peinture à l'huile, la peinture alkyde sèche plus lentement. Cela vous donne plus de temps pour travailler une finition mais cela veut également dire qu'elle a le temps de s'affaisser sur une surface verticale si elle n'a pas été appliquée correctement. Le temps de séchage peut durer 24 heures entre chaque couche et davantage quand le temps est humide. De plus, la peinture à l'huile dégage une forte odeur, elle se dilue au solvant à base de pétrole ou à l'alcool et est hautement inflammable, ce qui exige des précautions supplémentaires. (Voir « Mesures de sécurité », chapitre 3, page 77). Le solvant au pétrole utilisé dans la peinture à l'huile est source de plusieurs inconvénients.

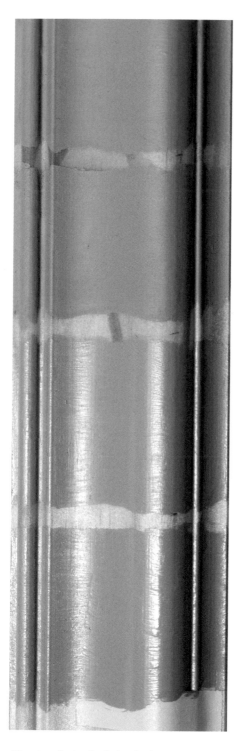

Quatre choix de finis, *de haut en bas : coquille d'œuf, mat, semi-lustré et lustré. Ils s'échelonnent de mat à luisant.*

Les solvants au pétrole causent également d'autres problèmes. Ils contiennent des composés organiques volatiles (COV) qui s'évaporent dans l'atmosphère en séchant. Une fois dans l'air, ils contribuent à produire une couche d'ozone à basse altitude, un agent important dans la fabrication du smog. Afin de protéger l'atmosphère et de réduire la pollution de l'air, l'État de la Californie et plusieurs autres communautés aux États-Unis ont adopté des lois limitant l'usage de la peinture à l'huile. En réaction à ces mesures, l'industrie de la peinture a réduit le taux de solvant dans la peinture à l'huile de 50%, comparativement à 20% les années précédentes, et elle cherche à le réduire encore davantage. Il est malheureusement impossible d'éliminer tous les solvants. Bien qu'ils soient néfastes pour l'environnement, ils sont tout de même de précieux alliés de la peinture alkyde. Ils améliorent l'absorption des pigments et aident à produire une pellicule permanente et bien égale. Vérifiez auprès des autorités locales pour savoir s'il y a des restrictions à l'usage de peintures alkydes. Si c'est le cas, les peintures à l'eau et certains produits de recouvrement vous fourniront d'excellents subtituts.

Les finis en peinture

Peu importe la formule, chaque type de peinture produit une pellicule, ou fini, et un lustre en séchant. Le lustre varie de mat à luisant et est décrit par différentes appellations génériques. La peinture *mate* est sans reflet. Les finis *coquille d'œuf* et *satinés* ont un reflet doux et lustré qui reflète la lumière, bien que le fini satiné offre plus de brillance et de reflet et qu'il soit moins poreux que coquille d'œuf. Le fini *semi-lustré* a un aspect légèrement reluisant qui reflète la couleur et la peinture *lustrée* produit un dur fini reluisant qui absorbe le maximum de reflets lumineux. Toutes les peintures qui ne sont pas mates contiennent un additif de brillance, sèchent en un fini dur et font partie de la catégorie des finis émaillés. Plus le niveau de brillance augmente, plus durable et résistant sera le fini, mais il durcira, deviendra plus glissant et moins absorbant.

Chaque type de fini influence les techniques de peinture décorative de façon particulière. Une couche de base à fini mat est poreuse et absorbe le glacis. Cette absorption rapide fait sécher plus vite le glacis, raccourcit le temps de travail et fait en sorte qu'il devient impossible de retirer le glacis humide. Toutefois, le fini mat permet de mélanger un glacis dans la couche de base, unissant les deux éléments. Cela empêche la couche de base d'apparaître comme une couleur séparée, de pâlir la couleur ou de changer l'apparence par rapport au projet initial. Un fini coquille d'œuf ou satiné n'est pas poreux, permettant au glacis de rester mouillé plus longtemps, ce qui vous donne ainsi plus de temps pour travailler vos surfaces ou enlever une partie du glacis. Parce que le glacis demeure en surface de la couche de base, il est facile à distinguer et la couleur de la couche de base se voit très bien à travers, produisant un joli contraste.

Quel est le meilleur fini à utiliser comme couche de base ? Cela dépend de votre projet et de l'effet que vous voulez créer. Les finis mats ou coquille d'œuf sont très efficaces comme couche de base dans la plupart des projets. Les peintres professionnels estiment parfois qu'un fini satiné est trop glissant. On peut dire la même chose des finis lustrés et semi-lustrés, bien qu'ils constituent d'excellentes couches de base pour la technique de fausses pierres.

Un glacis sur un mur *semi-lustré donne une apparence de richesse.*

Glacis sur les murs et faux-granite sur les armoires mettent en valeur une grande cuisine à aire ouverte et une salle familiale.

Les peintures au latex et à l'huile adhèrent et couvrent bien, et produisent toutes deux un fini durable. Utilisez l'une ou l'autre comme couche de base. Toutefois, tout produit supplémentaire, tel que colorant, diluant, glacis ou couche finale, appliqué sur une peinture à l'huile, doit être fait à base d'huile et soluble au solvant. Pourquoi? Parce que les latex à base d'eau et l'acrylique adhèrent difficilement à des surfaces peintes à l'huile. Toutefois l'inverse est faux. Vous pouvez recouvrir une base au latex avec une peinture à l'huile et des solvants solubles quand la peinture au latex est entièrement sèche. Notez que l'expression « entièrement sèche » est de rigueur ici. Une fois sèche, la peinture au latex ne contient plus aucune eau qui risquerait de se mélanger à l'huile. Une couche de base au latex requiert également un apprêt au latex. Une sous-couche à l'huile ne supporte pas le latex.

Voir chapitre quatre « Préparation des surfaces » : *Travail de base,* pages 101 - 103. On vous y apprendra comment appliquer convenablement une couche de base et comment tenir votre pinceau ou rouleau en un mouvement continu et égal.

Sous-couche

Sauf si vous appliquez une couche de base sur une surface déjà peinte, vous devriez utiliser un scellant ou un apprêt pour préparer vos surfaces à peindre. Les scellants et les apprêts jouent fondamentalement le même rôle. Ils préparent les surfaces à peindre en les recouvrant d'une couche rugueuse à laquelle pourra adhérer la peinture. Cette rugosité de qualité grossière améliore la performance, l'apparence et la durabilité de la peinture. Cependant, les scellants et les apprêts accomplissent le travail de façon légèrement différente, ce qui crée une certaine confusion. La meilleure façon de choisir est de vous rappeler cette formule : les scellants scellent et les apprêts préparent.

Scellants

Les scellants font exactement ce que leur nom dit. Ils scellent les surfaces poreuses en formant une barrière durable qui n'absorbe pas la peinture. Utilisez un scellant si la surface à peindre est l'une des suivantes :

- Surface nue ou boiserie à grain ajouré comme l'érable et le chêne. Leurs cellules poreuses absorbent la peinture et le vernis.
- Bois à forte coloration comme les bois rouges, parce que leur résine coule et traverse la peinture.
- Bois nu avec nœuds, parce que la résine huileuse des nœuds reflète la peinture.
- Surface avec des taches huileuses de crayon, parce que les taches traversent la peinture avec le temps.
- Surface couverte de taches de moisissures.
- Grandes parcelles de mastic à joints poreux ou de plâtre.
- Produits de maçonnerie très poreux comme la brique non vernie, les blocs de ciment ou de béton.
- Surfaces de métal qui demandent un antirouille.

Omettre de sceller ces surfaces avant de peindre donne des surfaces rugueuses, inégales, et des finis ternes qui ne peuvent disparaître en ajoutant de la peinture.

Les techniques de glacis antique et de pochoir procurent un charme vieillot aux murs et objets de cette pièce.

Un fini faux-bouleau fait ressortir cette cheminée. Appliquez une sous-couche sur toute la surface avant de peindre les rayures du bois.

Le scellant est offert en finis au latex et à l'huile. Le scellant acrylique au latex est aussi efficace que le scellant à l'huile. Il est sage d'utiliser un scellant qui a la même liant que votre peinture de base. Si votre couche de base est d'une couleur foncée ou très claire, prenez un scellant teinté de 50 à 60% de la couleur de base.

Gomme-laque. Voilà un autre excellant scellant. On l'utilise fréquemment sur des surfaces poreuses tel que les composés pour joints, les plâtres de camouflage, les bois à grain visible, et les taches rebelles d'huile et de moisissure. Elle sèche rapidement mais ne convient pas aux grandes surfaces. La gomme-laque est faite à partir des sécrétions d'un insecte tropical dissoutes dans l'alcool. Elle est offerte en trois couleurs : claire, qui devient transparente en séchant mais qui est parfois étiquetée « blanc », opaque ou blanc craie, également appelée gomme laque blanche, et orangé ou blond. Le format le plus pratique est à pigments blancs, vendu comme combinaison scellant / apprêt pour les surfaces difficiles à couvrir. Il doit être dilué avec de l'alcool dénaturé. Une fois sèche, vous pouvez peindre la gomme-laque avec de la peinture au latex ou à l'huile.

Apprêts

Un apprêt prépare les surfaces à peindre en rendant leur texture plus uniforme et en leur donnant de l'adhérence. Les apprêts sèchant plus rapidement et coûtent moins cher que la peinture. Si vous teintez votre apprêt, vous pourrez économiser une couche de base en plus. L'apprêt adhère également aux surfaces déjà peintes, aux surfaces sales et réparées.

Adhère à toutes les surfaces non peintes, avant la couche de base, sauf celles qui sont mentionnées dans la section « Scellants », page 45. Cela inclut les belles boiseries décapées. Il est toujours préférable de mettre un apprêt sur un fini existant, particulièrement dans les conditions suivantes :

- De larges sections ont été réparées avec un scellant à joints poreux ou du plâtre ; dans ce cas vous devez appliquer un scellant, puis un apprêt.
- La peinture existante est usée et vous voulez donner à votre surface l'apparence du neuf.
- La peinture existante ne passe pas le test de l'absorption. Essayez ceci : frottez une petite section de la surface existante avec du solvant minéral, et si la surface ne reste pas mouillée au moins deux ou trois minutes, il faut appliquer un apprêt.
- La surface existante est très reluisante, profonde ou foncée, et vous projetez de la peindre avec une couleur plus pâle.
- Votre couche de base est très brillante, profonde ou foncée ; dans ce cas, utilisez un apprêt teinté de 50 à 75% de la couleur de base.

Les apprêts sont offerts en finis au latex ou à l'huile. Rappelez-vous que l'apprêt choisi doit être compatible avec ce qui existe déjà sur votre surface et ce que vous avez l'intention d'y ajouter. Si l'actuel fini est peint à l'huile, appliquez un apprêt au latex avant de le peindre au latex et vice versa.

Le glacis vert-acide semble presque chaud dans une cuisine remodelée. Le fini mat atténue joliment la brillance des carreaux blancs.

Un glacis plus mince donne un effet rafraîchissant presque limpide sur ce mur. Le « rideau » est en réalité un trompe-l'œil.

Peintures d'artisanat à l'acrylique

Colorants

De nos jours la variété de couleurs d'intérieur est tellement vaste qu'il est possible de concevoir votre agencement de couleurs en n'utilisant rien d'autre que les couleurs pré-mélangées offertes sur le marché. Si vous faites un choix judicieux à l'aide des échantillons de couleurs des fabricants de peinture, vous obtiendrez exactement ce que vous voulez comme valeur et intensité sans avoir à mélanger les couleurs vous-même. Vous gagnerez beaucoup de temps et vous sentirez plus en sécurité, bien que le gros du plaisir en peinture décorative soit de fabriquer soi-même ses couleurs de peinture et de glacis. Vous pouvez y arriver en utilisant un colorant qui convient à votre type de peinture ou de glacis. Les colorants suivants sont couramment employés pour mélanger les couleurs dans les finis décoratifs.

Peintures d'artisanat à l'acrylique. Ces peintures contiennent des pigments en suspension dans la résine acrylique, tout comme la peinture au latex, mais de meilleure qualité. De toute évidence, l'acrylique est idéal pour colorer la peinture au latex et les glacis à l'eau. Les couleurs de base de la palette incluent : noir de fumée, blanc titanium, ambre brut, ambre brûlé, sienne brut, sienne brûlé, jaune ocre, jaune oxydé, jaune chrome moyen, rouge ocre, rouge oxydé, orange chromé, orange ocre, alizarine cramoisi, rouge vermeil, rouge cramoisi, bleu ultramarine et vert chrome moyen. L'acrylique artisanal sèche rapidement et peut être ajouté par-dessus une autre couleur. Ces colorants, offerts dans les boutiques d'artisanat ou de matériel d'artiste, se présentent en tubes ou en pots. Les tubes vous donnent une meilleure maîtrise pour verser la peinture goutte à goutte. Les tubes de 240 ml (8 oz) sont les plus économiques.

Colorants universels. À l'eau ou à l'huile, en vernis, les colorants universels sont faits de pigments combinés avec de l'éthylène, du glycol et un peu d'eau. Ce sont les colorants que les marchands utilisent pour mélanger les couleurs de peinture. Ils sont idéaux pour des grandes quantités ou des projets qui exigent un changement de couleur radical parce qu'ils sont moins chers que l'acrylique artisanal. Ils sont offerts en bouteilles économiques de 500 ml (16 oz). Si vous avez besoin d'une plus petite quantité, comme quelques millilitres, votre magasin de peinture peut vous remplir une petite bouteille munie d'un bouchon à bec verseur. Ce bouchon permet d'ajouter la couleur goutte à goutte.

Autre point important : après chaque utilisation, refermez le couvercle et rangez le contenant à l'envers.

Les colorants universels, comparativement avec l'acrylique, comportent deux inconvénients. Premièrement, ils offrent moins de variétés de couleurs, même s'ils offrent les mêmes couleurs de base que l'acrylique artisanal. Deuxièmement, ils ne contiennent aucun agent de séchage. Faites en sorte qu'elles ne constituent pas plus de 10 à 20% de votre peinture à moins d'ajouter un agent de séchage.

Peinture à l'huile pour artistes. Ce sont ces tubes qu'on associe aux beaux-arts, mais vous pouvez également en obtenir en bâtons. Constituée de pigments en suspension dans l'huile de graines de lin, la peinture pour artistes est offerte dans un large assortiment de couleurs saturées, incluant la palette de couleurs de l'acrylique artisanal et des colorants universels. Elle sèche en un fini lustré. En dépit du fait que ces peintures soient très coûteuses et sèchent lentement, elles sont très efficaces pour colorer la peinture à l'huile et les glacis solubles dans un solvant.

Couleurs japonaises. Elles sont le meilleur choix pour colorer la peinture à l'huile et les glacis solubles dans un solvant, mais ces laques concentrées sont difficiles à trouver. Essayez les boutiques spécialisées dans le matériel d'artiste et les fournisseurs par correspondance. Les couleurs japonaises sont offertes en boites, ce qui donne moins de maîtrise que les tubes. Elles présentent des couleurs intenses et sèchent rapidement.

Bâtons de pigmentation, peinture à l'huile.

Les huiles en tube pour artistes.

Peintures à la caséine. Elles sont très peu utilisées de nos jours, sauf sur les meubles, pour les finis décolorés. Elles sont faites d'un mélange de pigments et de solides du lait. Elles peuvent être utilisées pour colorer la peinture au latex et les glacis solubles dans l'eau. L'inconvénient majeur est qu'elles demeurent solubles dans l'eau, une fois sèches. Ce qui signifie que chaque couche doit être recouverte de gomme-laque ou de vernis.

Gouache. La peinture des écoliers. Elle est faite à partir d'un mélange de pigments et d'émulsion d'huile d'œuf. Elle aussi demeure soluble dans l'eau, une fois sèche ; chaque couche doit donc être recouverte de gomme-laque ou de vernis. C'est la raison pour laquelle on ne l'utilise pas pour colorer la peinture au latex ou le glacis soluble dans l'eau.

Glacis et délavés

Plusieurs techniques de peinture décorative doivent leur originalité aux effets de glacis et de délavé. Un *délavé* est une peinture à l'acrylique ou au latex délayée. Un *glacis* est une peinture ou un colorant mélangé à un vernis transparent et délayé avec un diluant qui possède la même solubilité que le colorant et la peinture. Chaque genre a sa propre personnalité et convient à un fini décoratif particulier.

Un délavé produit une couleur floue comme si on plaçait un tissu d'organdi sur un autre tissu. Vous le fabriquez simplement en diluant une peinture au latex, une peinture à l'acrylique ou un colorant universel avec de l'eau. Cela produit une mince pellicule de peinture qui laisse transparaître la couleur de la couche de base. Le degré de transparence dépend de la quantité d'eau ajoutée.

Un délavé très mince est salissant à appliquer, il sèche rapidement et convient très bien à des techniques simples comme celles de l'éponge et du délavé de couleur. Si vous voulez ralentir le temps de séchage, ajoutez un retardateur ; il y en a plusieurs sortes, offertes chez les marchands de peinture. Le fini sera magnifique mais peu durable.

Pigments secs écrasés et détrempe à l'œuf

Les glacis sont plus complexes que les délavés, produisant transparence et luminosité. Un bon glacis doit :

- contenir des ingrédients courants, peu coûteux, qui produisent une matière consistante ;

- produire une matière lisse qui adhère aux surfaces, surtout les surfaces verticales, sans s'affaisser ;

- permettre de prendre tout le temps qu'il faut ;

- sécher toute la nuit.

La transparence du glacis, qui n'est rien d'autre qu'une peinture sans pigments, détermine la touche finale. Le vernis transparent est offert en formule acrylique ou latex, à vous de choisir celui qui convient pour l'effet que vous voulez créer. Pour faire un glacis, mélangez simplement la peinture ou un autre colorant à un vernis transparent, puis diluez ce mélange avec de l'eau ou un solvant minéral selon le cas. (Pour plus de détails, voir « Solvants », page 53.)

Gel acrylique transparent. Ce genre de vernis sert de glacis soluble. Vous le trouverez dans les boutiques de matériel d'artiste et autres boutiques spécialisées. Pour ajouter de la couleur au gel acrylique transparent, mélangez-le à un colorant soluble dans l'eau, comme une peinture au latex ou à l'acrylique, un colorant universel, une gouache ou une peinture à la caséine. (À noter que les deux derniers produits sèchent mats et opaques et donnent des finis moins permanents que les vernis colorés avec les acryliques artisanaux ou les colorants universels.) Pour éclaircir le mélange, utilisez de l'eau. La quantité d'eau déterminera le degré de transparence de votre fini. Ce gel sèche rapidement, mais vous pouvez ajouter un retardateur pour prolonger le temps de séchage au besoin. Le gel acrylique transparent convient à toutes les techniques de peinture décorative.

Le glacis est transparent, mais vous pouvez y ajouter de la couleur. Faites votre mélange aussi mince et transparent que vous voulez.

Après avoir mélangé *dans un seau votre glacis avec un colorant, versez le mélange dans un bac à peinture.*

Vernis liquide au latex. Parfois appelé vernis acrylique, ce produit est similaire au gel acrylique. Il est à base d'eau et convient à des techniques simples comme celles de l'éponge, du chiffon et du faux-marbre. Vous pouvez le colorer et le diluer de la même façon que le gel acrylique. Il convient à toutes les techniques de peinture décorative.

Vernis commercial à l'huile. Déjà pré-mélangé, ce produit est offert en boîtes de conserve dans les comptoirs de peinture et boutiques de matériel d'artiste. On le trouve dans les couleurs de base et plusieurs lustres. Utilisez-le directement à partir du contenant ou diluez-le avec un solvant minéral au besoin. Assurez-vous que le solvant ne contient pas plus de 10% du vernis, sinon il sera trop liquide. En plus de la qualité de sa transparence, le vernis commercial a l'avantage de sécher moins rapidement, donc vous laisse plus de temps pour travailler. Il convient à toutes les techniques de peinture décorative.

Vernis liquide à l'huile. Ce produit est le plus utilisé des vernis à l'huile parce qu'il se mélange facilement, se travaille bien et est digne de confiance. Un vernis à l'huile standard est fait à partir de quantité égales de colorant solvant soluble (peinture à l'huile de couleur, colorant universel, peinture à l'huile pour artistes ou couleur japonaise), de vernis à l'huile et de solvant minéral. Ce mélange sèche lentement et vous laisse suffisamment de temps pour les techniques plus laborieuses. Pour accélérer le temps de séchage et produire un fini plus résistant, ajoutez plus de solvant minéral ou plus de vernis liquide à l'huile. Il convient à toutes les techniques de peinture décorative.

Pour plus de renseignements, voir chapitre cinq, « Mélanger peinture et glacis », commençant à la page 107. Utilisez la formule de vernis et les méthodes d'application pour chaque technique en deuxième partie : *Les techniques de peinture décorative,* débutant à la page 125.

Diluants

Plusieurs solvants volatiles servent à diluer et à nettoyer la peinture à l'huile et le vernis utilisés en peinture décorative. De tous, c'est le solvant minéral blanc qui fonctionne le mieux. Il s'évapore rapidement et uniformément, il n'affecte pas la sous-couche de peinture, ne laisse aucun résidu, il s'évapore ou réagit chimiquement avec d'autres ingrédients, et il est relativement peu coûteux. Il comporte tout de même certains inconvénients, le moindre étant son odeur de pétrole distillé. (Par chance, il est beaucoup moins nocif que la plupart des autres solvants.) Ses vapeurs peuvent s'enflammer au contact de flammes et il est toxique si on l'avale. Ces deux problèmes se préviennent facilement en faisant preuve de bon sens. Achetez le solvant minéral blanc à 100%, tel qu'indiqué sur l'étiquette, ou encore sous l'appellation *Diluant à peinture,* c'est à peu près le même produit.

L'huile de graines de lin bouillie et la térébenthine sont des substituts efficaces, mais elles sont beaucoup plus chères. Une petite quantité d'huile de graines de lin bouillie améliore l'écoulement et l'éclat de la peinture à l'huile. On l'utilise fréquemment dans le vernis employé dans la technique du faux-bois. Ne jetez jamais aux ordures un chiffon imbibé d'huile de graines de lin, il pourrait s'enflammer. Séchez-le à l'extérieur avant de le jeter.

Avec trois quantités d'eau différentes dans le glacis, *on obtient ces trois niveaux de transparence sur ces boîtes.*

Couches de finition transparentes

Une couche de finition transparente est une couche protectrice transparente appliquée par-dessus les différents finis de peinture décorative. Vous pourrez ainsi appliquer le degré de lustre que vous voulez sur vos surfaces décorées, tout en les protégeant contre l'usure, la décoloration et l'écaillage. Plusieurs techniques de peinture décorative ne requièrent pas cette couche, comme les travaux à l'éponge, les délavés et les pochoirs. En règle générale, cette technique est optionnelle et dépend de votre volonté d'obtenir ou non un fini reluisant. Il est cependant conseillé d'appliquer une surcouche transparente, en guise de protection, sur toute surface décorée aux endroits les plus passants, comme les chambres d'enfant, le coin dînette, et surtout les dessus de table, de comptoir, les boiseries et les planchers, qui sont sensibles aux écorchures, aux égratignures et autres dommages.

Les surfaces passantes *comme ce plancher, peint par l'artiste Lucianna Samu, doivent toujours être traitées avec une surcouche protectrice.*

Les finis plus complexes, comme les faux-marbres et les faux-bois, requièrent toujours une surcouche transparente. Donnez-leur de la profondeur, qui ajoute au réalisme et leur donne de l'éclat tout en les protégeant. Les indications pour chaque fini sont présentées en « Deuxième partie : Les techniques de peinture décorative », débutant à la page 125, et incluent les recommandations concernant les exigences des surcouches transparentes.

Il existe sur le marché plusieurs produits de surcouche transparente. À l'huile, à l'acrylique ou à l'eau, ces surcouches sont offertes en différents finis, mat, coquille d'œuf, satiné, semi-lustré et lustré. Choisissez la finition qui vous convient. Si votre mur comporte des imperfections, vous voudrez les cacher en utilisant de la peinture mate et un vernis mat.

Sceller ce fini avec une surcouche lustrée anéantirait tous vos efforts, car le lustre ferait ressortir tous les défauts de la surface. L'application d'une surcouche transparente ou d'un fini au polyuréthane ne doit pas être effectuée sur les murs.

Les produits pour finis transparents les plus courants en peinture décorative sont les *vernis à l'huile*, le *polyuréthane*, les *vernis acryliques*, la *cire d'abeille blanche raffinée* et la *gomme-laque*. L'inévitable jaunissement de bon nombre de ces produits est le triste sort réservé à toutes les techniques de peinture décorative. La décoloration varie grandement, même entre produits de même marque ; les surcouches à base d'huile jaunissent plus rapidement que celles à base d'huile. Celles qui jaunissent beaucoup sont de mauvais choix pour sceller les travaux en blanc, en pastel ou en combinaison de couleurs délicates, sauf si, par chance, ces couleurs sont compatibles avec le jaune. Heureusement, elles n'affectent pas autant le noir et les couleurs foncées. Prenez conseil auprès de votre marchand de peinture. Lisez attentivement les étiquettes des produits pour en savoir davantage sur le jaunissement, sur la durée de séchage, et savoir si le produit couvre bien.

Vernis à l'huile. C'est la surcouche traditionnelle utilisée en peinture décorative. Son gros désavantage est qu'elle jaunit avec le temps, surtout dans les pièces peu ensoleillées. Le jaunissement fausse la couleur sous le vernis. (Pensez à ce qui se produirait si vous ajoutiez quelques gouttes de jaune à votre couleur en la mélangeant.) Le vernis écrase également les détails délicats et subtils de la coloration.

Le vernis à l'huile est compatible avec la peinture à l'huile et les glacis à base d'huile. Il s'applique également par-dessus la peinture au latex et les glacis à base d'eau quand la surface est sèche. Diluez

Une surcouche transparente rehausse l'effet grain de bois incorporé dans ce damier, peint sur le plancher d'une chambre de garçon.

PRODUITS COMPATIBLES EN UN COUP D'ŒIL

Consultez ce bref guide de référence pour choisir des produits de solubilité identique. Ces produits se complètent, ils peuvent être mélangés ou superposés. Normalement, vous devez séparer les produits de différentes solubilités en les isolant les uns des autres par une couche de vernis ou de gomme-laque. Seule exception, les produits solubles dans un solvant, que vous pouvez appliquer sur un produit soluble dans l'eau quand il est bien sec. La gomme-laque ne fait pas partie des produits mentionnés parce qu'elle est soluble dans l'alcool et peut être utilisée comme couche isolante entre un produit soluble dans l'eau et un soluble dans un solvant.

SOLUBLES DANS L'EAU	SOLUBLES DANS UN SOLVANT
Sous-couche	
Scellants à l'acétate de polyvinyle	Scellants à l'huile
Apprêts au latex	Apprêts à l'huile
Peintures	
Latex pour intérieur	Huiles pour intérieur
Colorants	
Acryliques artisanaux	Peintures à l'huile
Colorants universels	Colorants universels
Caséine	Couleurs japonaises
Gouache	
Glacis	
Gels acryliques transparents	Vernis commerciaux à l'huile.
Vernis liquides au latex	Vernis liquides à l'huile.
Diluants	
Eau	Solvants minéraux
	Diluants à peinture
	Térébenthine
	Huile de graines de lin
Surcouche	
Vernis acryliques	Vernis à l'huile
Polyuréthane à base d'eau	Polyuréthane

ce vernis avec un solvant minéral ou un diluant à peinture. Il sèche en trois heures au toucher et met de 12 à 24 heures pour sécher complètement, selon la chaleur et l'humidité. Plus il contient d'huile, plus le lustre est brillant et plus il met de temps à sécher. Tous les vernis à l'huile jaunissent avec le temps, mais le vernis marin est le pire ; il n'est pas recommandé sur les peintures décoratives.

Polyuréthane. Ce produit fait une excellente surcouche sur la plupart des peintures sauf sur la peinture à l'huile pour artistes. Diluez-le avec un solvant minéral. Chaque application exige 12 heures de séchage, Bien qu'il jaunisse moins que le vernis à l'huile, il n'est pas recommandé sur les blancs, les pastels et autres combinaisons de couleurs délicates.

Vernis acrylique. Il contient les mêmes ingrédients de base que le glacis soluble dans l'eau et ne fonctionne que sur des produits à base d'eau. Ne pas appliquer sur une peinture à l'huile même si elle est complètement sèche. De toute évidence, vous ne pouvez le diluer avec de l'eau. Pour l'appliquer, utilisez un rouleau, car un pinceau peut laisser des traces. Le vernis acrylique sèche rapidement et jaunit légèrement.

Polyuréthane à base d'eau. Ce produit est semblable au vernis acrylique, mais il est plus fort et prend quelques minutes de plus à sécher. Parce qu'il ne fonctionne que sur des peintures et des glacis à base d'eau, vous pouvez le diluer à l'eau et l'appliquer au rouleau. Il ne jaunit pas.

Gomme-laque. La gomme-laque n'est pas recommandée comme surcouche parce qu'elle produit un fini doux, très sensible aux abrasifs, à la chaleur, à l'eau et à l'alcool. Toutefois, c'est un excellent isolant entre les couches de glacis. C'est également un scellant et un apprêt supérieur pour les meubles et petites surfaces. La gomme-laque jaunit autant que les surcouches à base d'huile.

Cire d'abeille blanche raffinée. C'est un produit coûteux, raffiné, qui produit un élégant tini lustre qui ne jaunit pas. Mais elle est plus laborieuse à appliquer que les autres finis. Vous devez la frotter avec un chiffon propre, qui ne mousse pas ; laissez reposer et ensuite passez un chamois pour éclaircir, puis faites briller avec un autre chiffon propre. Vous devrez répéter cette manœuvre régulièrement. À cause de tout ce travail, on ne l'utilise la plupart du temps comme surcouche que sur les meubles. Au moment d'appliquer une couche fraîche, vous pouvez facilement retirer la vieille cire avec un solvant minéral ou un nettoyant pour bois sans affecter la peinture en dessous.

Vous devez comprendre que, pour les finis transparents, plus vous appliquez de couches, plus la surface paraîtra jaunie. Faites la part des choses entre l'apparence finale que vous cherchez à obtenir et la protection dont votre fini a besoin. Prenez cette décision avant de commencer le travail.

La cire en pâte transparente, appliquée avec un chiffon doux, peut être utilisée pour nettoyer et polir une surface de bois ou des objets comme ce chandelier peint. Il jaunira légèrement avec le temps. La cire d'abeille blanche, qui se présente sous forme de bloc et qui doit être fondue en liquide, reste transparente.

Combien en faut-il ?

Consultez les étiquettes sur les contenants de peinture, de vernis et de surcouche pour savoir quelle surface ils recouvrent. La plupart des peintures peuvent couvrir 32 à 37 mètres carrés (350-400 pi²) par gallon (3,6 l), mais il est plus prudent de prévoir 27 mètres carrés (300 pi²) par gallon (3,6 l) et 7 mètres carrés (75 pi²) par litre. Achetez et mélangez toujours plus de peinture que vous n'en avez besoin. Par prudence il faut toujours ajouter 10% à son estimation globale.

Ce surplus vous servira en maintes occasions. Premièrement, vous ne voulez pas risquer de manquer de peinture au milieu d'un mur. Une légère différence de couleur entre deux commandes pourrait vous forcer à repeindre le mur en entier. Même si vous êtes chanceux et que les couleurs sont identiques (ce qui est rare), vous aurez tout de même une partie du mur qui aura séché. Voir chapitre quatre, « Préparation des surfaces : Travail de base, » commençant à la page 78.) Parce que la peinture ou le glacis aura séché pendant que vous mélangez la nouvelle peinture ou le glacis, vous aurez une belle ligne foncée là où vous aurez repris le travail.

Deuxièmement, vous devez en conserver une réserve si vous en gaspillez ou en échappez, et pour les endroits poreux qui absorbent davantage (et même pour des surfaces entières) : le plâtre absorbe davantage que les panneaux de bois, donc demande plus de peinture. Sans compter que vous aurez besoin de peinture pour les retouches. Éventuellement, vous voudrez peut-être utiliser la même couleur dans une pièce adjacente.

Les rayures, faites à partir de deux tons de glacis, ne recouvrent le mur qu'à partir de la hauteur du dossier de chaise. L'artiste a divisé la superficie en deux quand il a réalisé la quantité de peinture qu'une telle entreprise exigeait.

Suivez les étapes suivantes afin de déterminer la quantité de peinture, de glacis ou de surcouche dont vous aurez besoin.

1. *Mesurez la longeur de tous les murs de la pièce ou les surfaces pour calculer leur périmètre. Additionnez les mesures obtenues. Si vous peignez les murs d'une pièce qui mesure 3,5 m (12 pi) de large sur 4,5 m (15 pi) de long, calculez le périmètre de cette façon :*

3,5 + 3,5 + 4,5 + 4,5 = 16 mètres.

2. Multipliez le périmètre par la hauteur du mur, pour obtenir la surface totale. Si la pièce a *2,4 m (8 pi)* de haut, calculez de cette façon :

$16 \times 2,4 = 38,4\,m^2\ (432\,pi^2)$.

3. Soustrayez $2\,m^2\ (21\,pi^2)$ carrés pour chaque porte standard et $1,4\,m^2\ (15\,pi^2)$ pour chaque fenêtre ou installation telles une cheminée, une bibliothèque, une armoire et une arche, qui ne seront pas peintes. Si vous peignez une pièce qui a deux fenêtres et deux portes, cela fait $1,4 + 1,4 + 2 + 2 = 6,8\,m^2\ (72\,pi^2)$ ensuite corrigez la surface de cette façon : $38,4 - 6,8 = 31,6\,m^2\ (360\,pi^2)$.

4. Multipliez par 10% pour le surplus nécessaire : $31,6 \times 0,10 = 3,1\ m^2$ $(36\,pi^2)$. Ajoutez au calcul précédent et vous obtiendrez la surface exacte : $31,6 + 3,1 = 34,7\,m^2\ (396\,pi^2)$.

5. Divisez le nombre final par 27, soit la surface couverte par par gallon (3,6 l) et vous obtiendrez le nombre de par gallon (3,6 l) dont vous aurez besoin : $34,7 \div 27 = 1,28$, soit environ 1 gallon (3,6 l) + 1 litre. Arrondissez toujours à la limite supérieure pour en avoir un peu plus.

Soustrayez la *surface des* *portes, fenêtres et armoires de vos calculs.*

Entreposer la peinture et se débarrasser des restes

Entreposez la nouvelle peinture dans un endroit chaud, sec de préférence, sombre ou noir et loin des sources de chaleur. Par-dessus tout, ne jamais entreposer la peinture sous un porche, dans un garage ou une remise, ou dans quelque autre endroit non chauffé où elle pourrait geler. Et conservez-la hors de la portée des enfants et des animaux.

Entreposez vos restes de peinture de la même manière, de préférence dans son contenant d'origine. Nettoyez l'excédent de peinture sur les rebords avec des essuie-tout, remettez le couvercle en place et scellez à l'aide d'un maillet en caoutchouc ou d'un marteau et d'une planchette.

Une peinture d'intérieur au latex, avec un fini semi-lustré, prend moins d'une demi-journée à sécher complètement.

Si vous voulez vous débarrasser de vos restes de peinture, rappelez-vous que la plupart des produits de peinture, incluant les latex, les solvant minéraux et les diluants, sont des produits domestiques dangereux. Ils sont régis par un règlement municipal et vous devez les éliminer selon la loi. Ne les jetez pas aux ordures, ne les versez pas dans un égout ni sur un terrain. Vous avez d'autres options :

- Scellez le contenant tel qu'indiqué plus haut et apportez-le à la plus proche décharge autorisée pour recevoir les déchets toxiques.

- Scellez le contenant tel qu'indiqué plus haut et donnez-le à un organisme charitable qui pourra l'utiliser.

- S'il s'agit d'une infime quantité, vous pouvez l'étaler sur des restes de carton, laisser sécher et jeter aux ordures.

- Consultez l'étiquette du contenant. Il est possible que vous puissiez le remplir de litière de chat ou de papier journal déchiqueté, le laisser reposer et ensuite le jeter aux ordures.

- Versez le solvant minéral usagé et autres solvants dans un contenant, ajoutez un peu d'eau, fermez hermétiquement le couvercle et allez le porter dans une décharge autorisée.

- Essuyez l'intérieur des contenants vides avec du papier journal ou des essuie-tout.

- Laissez sécher complètement le papier journal, les essuie-tout, les contenants de plastique et autres objets souillés de peinture avant de les jeter aux ordures.

• Séchez les chiffons imbibés à l'extérieur avant de les jeter ou placez-les dans un contenant de peinture à moitié rempli d'eau, refermez hermétiquement et mettez aux ordures. N'entassez jamais un tas de chiffons imbibés dans un sac ou une boîte en attendant le jour du ramassage des ordures. Les solvants au pétrole produisent une chaleur en séchant (évaporation) et les chiffons peuvent facilement prendre feu.

Durée de séchage

Ne précipitez pas les choses quand vous faites un fini de peinture décorative. Le succès de votre entreprise dépend du temps que vous allouerez pour permettre aux surfaces de sécher en profondeur avant de passer à l'étape suivante. Allouez suffisamment de temps au séchage entre chaque application. Même le latex a besoin de temps pour sécher.

Il y a deux types de « séchage » : *sec au toucher* et *sec en profondeur*, souvent appelé deuxième séchage. Sec en profondeur signifie que la peinture est permanente, qu'elle n'absorbe plus l'humidité. Parce que la peinture sèche à partir de l'extérieur vers l'intérieur, elle peut sembler sèche en surface (sec au toucher), mais rester humide dessous. Chaque couche doit être sèche en profondeur avant d'en appliquer une seconde. Suivez les indications recommandées sur les étiquettes des contenants ou consultez le tableau ci-contre pour estimer le temps de séchage approximatif quand vous faites l'horaire de votre travail.

DURÉE DE SÉCHAGE

Les conditions normales sont évaluées à 24°C et 50% d'humidité relative. Une température et une humidité plus élevées ou plus basses influencent la durée de séchage de façon significative. N'appliquez pas de peinture intérieure quand le mercure indique moins de 10°C.

COUCHE DE BASE	SEC AU TOUCHER	SEC EN PROFONDEUR
Peintures d'intérieur		
Latex, apprêt	20 minutes à 1 heure	1 à 3 heures
Latex, coquille d'œuf	2 heures	4 à 6 heures
Latex, satiné	2 heures	4 à 6 heures
Peinture à l'huile, coquille d'œuf	5 heures	24 heures ou plus
Peinture à l'huile satinée	5 heures	24 heures ou plus
Émails d'intérieur		
Latex, semi-lustré	45 minutes	4 à 8 heures
Latex, lustré	2 heures	24 heures ou plus
Peinture à l'huile semi-lustrée	4 heures	24 heures ou plus
Peinture à l'huile lustrée	4 heures	24 heures ou plus

Recouvrir une surface qui est sèche au toucher mais pas en profondeur peut faire des bulles, craquer ou peler. L'application d'un glacis sur une couche de fond qui n'est pas sèche en profondeur aura pour effet de mélanger le glacis à la peinture fraîche et de ruiner le fini.

Plusieurs facteurs influencent la durée de séchage. Il est affecté d'abord par l'utilisation de colorants et la peinture pourrait ne jamais sécher si vous en mettez trop. La quantité de lumière, la température, l'humidité atmosphérique, le mouvement de l'air, tout compte. Par exemple, la peinture sèche moins rapidement dans une pièce sombre ou humide que dans une pièce ensoleillée, aérée et peu humide. Le lustre d'une surface altère également la durée de séchage (voir l'encadré « Durée de séchage », page 61). La peinture mate sèche plus vite que la satinée ou semi-lustrée. Il y a d'autres facteurs qui entrent en ligne de compte, comme le degré d'absorption d'une surface, l'épaisseur de la peinture, la sorte de diluant et le colorant utilisé.

Il y a des occasions où vous voudrez ralentir ou accélérer la durée de séchage. Ralentir la durée de séchage permet de travailler plus longtemps avec une technique, l'accélérer permet d'appliquer plus rapidement la seconde couche.

Pour accélérer la durée de séchage des deux types de peinture, vous pouvez mettre dans la pièce un ventilateur oscillant, mais il risque de déplacer la poussière, qui ira se fixer à la surface. Un sèche-cheveux manuel peut accélérer le processus pour un petit objet ou un échantillon.

Pour ralentir le séchage d'une peinture à l'huile, ajoutez de l'huile de graines de lin bouillie ou de la térébenthine. Assurez-vous qu'elle se mélange bien. Plus vous en ajoutez, plus brillante sera la surface. Vous pouvez également ajouter des produits appelés asséchants ou retardateurs. Ce sont des sels métalliques (comme le cobalt stanate) qui accélèrent le séchage en introduisant plus d'oxygène dans la pellicule de la peinture. L'ambre brûlé et l'ambre brut contiennent des sels au manganèse qui agissent comme séchoir.

En ce qui concerne les glacis solubles dans l'eau, imbibez le mur avec une éponge humide avant de commencer à peindre ou placez un humidificateur dans la pièce avant de commencer votre projet. Vous pouvez également essayer d'empêcher le soleil de pénétrer directement dans la pièce. Ajouter un peu de gel acrylique retardateur au glacis fonctionne également, mais il affaiblira la peinture et le glacis si sa quantité excède 10% de la formule. La façon la plus économique pour garder le glacis humide est d'ajouter simplement un peu d'eau. Assurez-vous que le glacis ne soit pas trop coulant.

Éclaboussures et débordements

Il est plus facile de travailler si vous essuyez les éclaboussures et les débordements au fur et à mesure. Chaque type de peinture a ses exigences.

Produits à base d'eau. Pour la peinture à base d'eau, gardez à portée de la main un seau d'eau et des chiffons propres qui permettront de corriger rapidement les erreurs. Si la peinture atteint le tapis ou un autre tissu, tamponnez la tache avec une éponge humide. Ne la frottez surtout pas, car la peinture pénétrerait dans les fibres du tissu, qui l'absorberaient à jamais. Si une tache vous a échappé après quelque jours, essuyez-la avec de l'alcool dénaturé. Frottez délicatement pour ne pas abîmer la peinture en dessous. Si la tache sèche sur un tissu, essayez de l'enlever avec un chasse-tache commercial ou lavez à grande eau en brossant.

Produits à base d'huile. Avec la peinture à l'huile, gardez sous la main du solvant minéral et des chiffons propres, et essuyez la tache dès qu'elle apparaît sur une surface dure. Si la peinture éclabousse un tapis ou un tissu, tamponnez légèrement la tache avec un chiffon imbibé de diluant à peinture. Évitez de frotter, car la peinture pénétrerait dans les fibres du tissu. Si la peinture a pénétré dans le tissu, essayez de l'enlever avec un nettoyant à pinceau commercial. Faites-en d'abord l'essai sur une partie qui ne se voit pas pour voir si le tissu se décolore.

Peindre les boiseries peut être une corvée. *Si la peinture touche à une autre surface, essuyez immédiatement.*

GLOSSAIRE DES PEINTURES

Acrylique : qualité supérieure de résine synthétique, qui sert de liant dans la peinture au latex.

Acrylique d'artiste peintre : pigments en suspens dans une résine acrylique. Vendu en tubes. Il sert à colorer le latex.

Additif : ingrédients ajoutés à une peinture de base pour une tâche particulière, comme ajouter de la texture à un mur ou empêcher la rouille.

Adhérence : propriété de la peinture de coller à une surface, une fois sèche.

À main levée : méthode qui consiste à toujours soulever les poils du pinceau de décorateur d'un seul coup à la fin d'un mouvement. Cela atténue le trait et crée une mince ligne de rupture.

Apprêt : sous-couche grossière qui sert à couvrir les surfaces non peintes ou peintes, et qui permet à la peinture une meilleure adhérence.

Base à l'huile : toute peinture d'intérieur qui contient un liant à l'huile et un diluant à peinture soluble.

Cache : capacité d'une peinture de bien couvrir une surface et de camoufler la couche de fond.

Colorant : différentes formes de pigments utilisés pour ajouter de la couleur aux peintures et glacis.

Colorants universels : colorants utilisés pour mélanger la peinture au latex et à l'huile et les glacis.

Composé organique volatile : solvant au pétrole contenu dans la peinture. Il s'évapore dans l'air et crée de la pollution.

Coquille d'œuf : fini non poreux, peu lustré ou sans éclat.

Couleur indigène : pigment non-organique utilisé pour fabriquer la peinture des artistes peintres. Sert de colorant.

Couleurs japonaises : pigments à base d'huile. Produit des couleurs vives. Sert de colorant.

Délavé : mince couche de peinture hautement diluée qui sert à créer des finis décoratifs.

Diluant : tout liquide qui sert à diluer la peinture en une consistance facile à étendre. Les diluants les plus populaires sont les solvants à l'eau et au pétrole.

Émail : peinture qui possède des pigments finement broyés et un liant très élevé. Sa surface est épaisse et dure, et résiste aux égratignures. En fini lustré ou semi-lustré.

Extrémité humide : lisière de peinture ou de glacis humide qui longe une section non peinte. Laisser une extrémité humide ne laisse aucune trace entre les sections de travail.

Fini : lustre et porosité que produit une peinture en séchant.

Glacis : composé translucide pour les finis décoratifs.

Glissante : état d'une surface qui empêche le glacis ou la peinture d'adhérer facilement.

Gouache : peinture soluble à l'eau dans une émulsion de pigments dans l'huile d'œuf. Sert de colorant.

Huile : solvant soluble qui utilise comme liant une résine artificielle (appelée alkyde). Plus connue sous le nom de « base à l'huile ». Elle est épaissie avec du solvant au pétrole, de l'huile de graines de lin ou de la térébenthine.

Huile de graines de lin : huile raffinée de graines de lin, qui sert de glacis ou d'additif à la peinture.

Inflammable : qui prend feu facilement.

Latex : peinture soluble à l'eau faite avec un liant de résine d'acrylique ou de vinyle. Moins épais avec de l'eau.

Lavable : peinture qui supporte les lavages répétés, sans perdre sa densité ni sa couleur.

Liant : liquide visqueux et onctueux, qui maintient en suspension les pigments de la peinture.

Liant à glacis : liant translucide, utilisé pour faire les glacis. C'est de la peinture sans pigments.

Lustre : quantité de lumière que reflète le lustre d'une peinture ; quantité de lumière que reflète un fini pour lui donner son éclat.

Lustré : fini brillant qui reflète la couleur.

Mat : fini qui ne reflète pas la lumière.

Mouillée : période durant laquelle la peinture ou le glacis est encore suffisamment humide pour être travaillé sans risquer d'abîmer le fini.

Nivelé : facilité avec laquelle la peinture s'étale uniformément, sans laisser de traces de rouleau ou de pinceau en séchant.

Peinture : émulsion de pigments, liant et diluant qui s'étend facilement.

Peinture à la caséine : peinture à l'eau d'apparence effacée, faite de pigments et de solides de lait.

Peinture à l'huile pour artistes : peinture traditionnelle des artistes, à base d'huile. Vendue en tubes. Sert à colorer la peinture à l'huile.

Peinture texturée : peinture à laquelle on a ajouté du sable ou une autre matière non-organique pour produire une texture sur les murs et autres surfaces.

Pigment : composé organique ou non-organique finement broyé, qui donne la couleur à la peinture.

Point de non-retour : moment crucial où le glacis commence à ternir et à faire des grumeaux.

Pré-mélangé : peinture mélangée chez le marchand à partir d'un échantillon de couleurs du fabricant.

Résine : produit chimique visqueux, malléable, qui sert de liant dans la peinture et qui maintient les pigments en suspension.

Satiné : fini qui a légèrement plus de lustre et de réflexion que le fini coquille d'œuf, mais moins que le fini semi-lustré.

Scellant : sous-couche qui résiste à l'absorptions et qui sert à sceller les surfaces poreuses ou tachées.

Sec au toucher : peinture qui ne salit pas au toucher, mais qui n'est pas entièrement sèche.

Sec en profondeur : peinture séchée en profondeur et prête à repeindre.

Semi-lustré : fini résistant et durable, qui possède un lustre et un éclat moyen.

Soluble à l'eau : glacis ou peinture compatible avec l'eau.

Soluble dans un solvant : qui peut être dissous dans un solvant au pétrole, de l'huile de graines de lin, de la térébenthine, etc.

Solvant : tout ce qui peut dissoudre une substance

Solvant minéral : solvant à base de pétrole. Souvent vendu comme diluant à peinture ou nettoyant pour bois.

Surcouche : couche finale d'un fini, transparente et durable.

Sous-couche : scellant ou apprêt appliqué avant la couche de base.

Térébenthine : solvant et diluant, dérivé du pin.

Vinyle : qualité supérieure de résine synthétique, qui sert de liant dans la peinture au latex.

CHAPITRE 3

L'ensemble des instruments utilisés pour appliquer et manipuler la peinture comprend des pinceaux, des rouleaux, du coton hydrophile, des éponges, des peignes à décor et plusieurs autres. Les pinceaux sont les plus importants de tous ces instruments, particulièrement quand il s'agit d'exécuter de fins détails. On entend souvent les peintres professionnels dire que la qualité des pinceaux détermine le succès d'un travail. De là l'importance de choisir le bon pinceau pour chaque projet. Il existe une très grande variété de pinceaux, de différentes tailles et de différents matériaux. Mettez toutes les chances de votre côté et choisis-sez la meilleure qualité que vous pouvez vous offrir. Comme les pinceaux multiusages s'usent rapidement, achetez-en de bonne qualité, mais à prix modéré, et gardez votre argent pour les pinceaux requis par certaines techniques et dont le prix peut aller de 10$ à 200$ et même davantage.

Pinceaux et autres instruments de travail

*Pour un travail complexe comme cette murale, peinte par l'artiste Lucianna Samu, **plusieurs types et formats de pinceaux** ont été utilisés.*

Pinceaux de décorateur

Les pinceaux de décorateur, essentiels pour peindre à l'intérieur, sont offerts avec des poils synthétiques ou naturels. Le type de poils détermine le type de peinture à utiliser.

Pinceaux à poils naturels. Prévus uniquement pour la peinture à l'huile, ces pinceaux sont faits soit de poils de sanglier dont le nom générique est *poils de Chine,* ou encore d'un mélange de poils de sanglier et de crins de bœuf. Ce mélange en fait un excellent pinceau pour appliquer le vernis, parce qu'il est fin, flexible et ne laisse pas de traces de pinceau. Les pinceaux à poils naturels sont généralement plus coûteux que les pinceaux à poils synthétiques ; évitez de les utiliser pour des produits à base d'eau. Les poils d'animaux absorbent l'eau et avec le temps, les poils s'amollissent. Les pinceaux à poils naturels de grande qualité se tiennent bien, ont une bonne capacité de rétention et sont très flexibles, ce qui leur permet de retenir plus de peinture, et garantit une peinture et un fini lisse.

Pinceau de nylon et polyester de 100 mm (4 po)

Pinceau de poils naturels de 75 mm (3 po)

Pinceau de poils naturels de 100 mm (4 po)

Pinceaux de nylon et polyester. Cette combinaison produit un pinceau de grande qualité. Le nylon offre la durabilité et le polyester, la forme et la rétention. Parce qu'aucune de ces fibres n'absorbe l'eau, ces pinceaux travaillent aussi bien avec les solubles dans l'eau que les solubles dans un solvant. Ils lissent la peinture également. Facile à nettoyer, un pinceau à fibres mélangées peut durer des années, si vous en prenez soin.

Pinceaux à poils de polyester. Ces pinceaux possèdent une bonne forme, une bonne rétention et restent rigides avec une peinture à l'eau, un glacis ou une couche de finition. Ils fonctionnent également très bien avec des solvants solubles, permettent une application lisse et uniforme, sont faciles à nettoyer et peuvent durer longtemps s'ils sont entretenus correctement.

Pinceaux de base pour décorateurs. Achetez des pinceaux de décorateur de la taille qui convient à votre projet. Un ensemble de base devrait comprendre des pinceaux de 40 mm à 65 mm pour les boiseries et les cadres de fenêtre, des pinceaux de 50 mm pour les découpages le long des plafonds, dans les coins et autour des boiseries, des pinceaux de 75 mm et 50 mm uniquement pour appliquer les vernis et autres finis transparents, des pinceaux jetables, des vieux pinceaux ou des pinceaux bon marché.

Utilisez des pinceaux de 75 mm et 50 mm pour peindre les plafonds, pour les apprêts et les couches de base sur les grandes surfaces, à moins que vous ne préfériez utiliser un rouleau (voir *Rouleaux à peinture*, page 72). Les pinceaux de 100 mm travaillent bien sur les grandes surfaces plates, mais ils sont plus gros et plus lourds, et certaines personnes les trouvent malaisés à tenir pendant un certain temps.

Réservez les pinceaux pour vernis et couches de finition exclusivement à cet usage, ne les utilisez pas pour appliquer de la peinture. Les résidus de peinture qui demeurent dans le pinceau après l'avoir nettoyé risquent de se mêler à la prochaine couleur que vous utiliserez. Gardez toujours ces pinceaux très propres.

Pinceau à angle de 65 mm (2^1/$_2$ po)

Pinceaux spéciaux

Une très grande variété de pinceaux conçus spécialement pour les artistes peintres et décorateurs sont également faits de poils d'animaux et de fibres synthétiques. Les poils d'animaux comprennent le sanglier (ou le porc), le bœuf, l'écureuil, le cheval, le chameau et le blaireau. La même règle s'applique à ces pinceaux. Utilisez les pinceaux à poils d'animal pour les produits à base d'huile et les pinceaux synthétiques pour les produits à base d'eau, d'huile ou d'alkyde. Les pinceaux suivants sont les plus utiles pour les travaux spécialisés.

- **Pinceaux d'artistes.** Pinceaux à poils mous ou durs pour appliquer ou mélanger de grandes quantités de peinture. Choisissez le degré de dureté des poils qui vous semble le plus approprié. Vous aurez besoin de deux ou trois formats, dans un assortiment allant du fin pinceau de poils de chameau jusqu'au pinceau de nylon plat à extrémité pointue, pour peindre les détails aux effets de marbre et la peinture à main levée.

- **Pinceaux mélangeurs.** Utilisés pour mélanger, adoucir ou donner du grain à tout genre de surface mouillée. Utilisez des pinceaux mélangeurs à poils de blaireau, parmi les plus coûteux sur le marché, avec des produits solubles dans un solvant, et utilisez les poils de porc avec les produits solubles à l'eau.

- **Pinceaux traceurs.** Courts et à poils durs, ces pinceaux servent à tracer des lignes.

- **Pinceaux à épousseter.** Mous et de longueurs moyennes, ces pinceaux servent à frotter les murs, à pointiller les meubles et les moulures, et à adoucir le glacis avec texture.

- **Pinceau fouet à texturer.** Pinceau à longs et larges poils qui sert à texturer les surfaces en flanquant de la peinture mouillée ou du glacis sur un mur. Ils sont utiles pour faire des retouches.

- **Pinceaux ligneurs.** Minces, flexibles et à longs poils, ces pinceaux servent à tracer les lignes fines et à d'autres techniques. Utilisez des pinceaux #0, #1 ou #2 pour vous assurer un bon contrôle quand vous peignez des détails complexes.

- **Pinceaux à moucheter, également appelés pinceaux à diviser.** Pinceaux à extrémités plates, utilisés pour texturer le bois sur les surfaces reluisantes.

Applicateur de grain à sept branches

Large pinceau ovale

Applicateur de grain à 12 branches

- **Rehausseurs de nervures**. Pinceaux à longs poils plats qui servent dans la technique du grainage du bois, pour accentuer le grain d'une surface déjà sèche.

- **Tubes ou crayons pour nervures**. Pinceaux à larges poils de porc utilisés pour tracer de longs traits fins de peinture ou de glacis, ou encore créer différents effets.

- **Pinceaux ronds en poils de porc**. Pinceaux à embout rond faits de poils flexibles mais fermes, qui servent à effriter, à pointiller. Servent également pour les pochoirs. Ils donnent un fini plus délicat, plus doux que les traditionnels pinceaux pour pochoirs.

  - **Pinceaux pour pochoirs**. Ronds, faits de courts poils de porc épointés, ces pinceaux sont utilisés pour émousser la peinture sur le pochoir et créer d'autres effets spéciaux.

  - **Pinceaux pour pointiller**. Pinceaux à poils rigides de porc qui servent à éclabousser de la peinture, du glacis et les couches de surface.

  - **Brosses à dents**. Elles servent à éclabousser de la peinture. Instruments économiques et très efficaces.

Tous ces pinceaux possèdent la bonne longueur de poils, la forme et la souplesse requise pour des travaux bien précis. Leur succès dépend de leur qualité. Habituellement, plus ils sont de qualité, plus ils sont coûteux. Par exemple, un gros pinceau à pointiller peut coûter plus de 200 $. C'est la raison pour laquelle les peintres décorateurs professionnels les utilisent avec parcimonie et préfèrent développer d'autres techniques de finition, en utilisant des instruments de base comme les rouleaux, les pinceaux de décorateurs, le coton hydrophile et autres plus courants.

Pinceau fouet à texturer

Pinceau à l'huile plat de 50 mm (2 po)

APPRÊTER LES PINCEAUX NEUFS

Rien n'est plus frustrant que d'avoir des poils rebelles sur un pinceau mouillé. Pour éviter que cela se produise, quand vous achetez un pinceau, coupez tous les poils rebelles, peu importe le prix du pinceau. Lavez le pinceau dans de l'eau savonneuse tiède. Avant qu'il ait eu le temps de sécher, passez le pinceau sur votre main dans un mouvement d'aller-retour et tournez le pinceau entre vos paumes pour recoller les poils rebelles. Puis faites-les ressortir.

ANALYSER LA QUALITÉ DES ROULEAUX ET PINCEAUX

Un pinceau de qualité possède un robuste manche en bois, une ferrure de métal serrée à son encolure, là où la poignée rejoint les poils qui sont épais, flexibles, divisés (affaiblis) ou duveteux aux extrémités. Les pinceaux de décorateurs et pour le vernis ont des extrémités effilées pour tracer des lignes droites quand ils touchent une surface lisse. Par-dessus tout, un bon pinceau doit faire contrepoids dans votre main. L'armature du rouleau (qui retient le manchon) doit être solide et munie d'un engrenage de nylon pour tourner en douceur. Un rouleau de bonne qualité doit posséder une armature qui retient fermement sans boulons.

Rouleaux à peinture

Sur de grandes surfaces, il est plus économique d'utiliser un rouleau pour appliquer un apprêt, un scellant ou un glacis. Utilisez un manche de rallonge extensible sur votre rouleau, qui vous permettra d'avoir une plus longue portée sur une grande surface.

Achetez un rouleau de qualité, avec une armature métallique, des repères de nylon, un manche qui se visse et des extrémitées fermées. Les manchons sont offerts en formats de 80 à 460 mm (3 à 18 po). Choisissez une longueur suffisante pour vous permettre de couvrir le maximum de surface, sans avoir à repasser par-dessus l'espace déjà peint. Un rouleau de 240 mm (9 po) est la taille standard pour peindre un mur.

Choisissez également le bon matériau pour le manchon. Il doit convenir au type de peinture que vous allez utiliser. La fibre synthétique convient aux produits à base d'eau, la laine ou laine / nylon ou encore mohair convient aux produits à base d'huile. Les rouleaux recouverts de mousse travaillent bien pour appliquer des glacis à base d'huile et les couches de finition, parce qu'ils ne forment pas de bulles et ne laissent aucune trace de coups.

Raclette

Instruments supplémentaires

Il faut plus que des pinceaux pour exécuter des techniques de peinture décorative. Dans plusieurs techniques, vous aurez à utiliser des pinceaux et d'autres instruments, une fois la couche de base appliquée.

Voici les plus importants :

- **Couteau tout usage.** Pour appliquer des composés texturés, pour créer une texture de pierre comme l'ardoise.
- **Chamois.** Utile pour étaler le diluant à peinture sur des éclaboussures indésirables et faire pénétrer le glacis selon diverses techniques.
- **Roulette à tracer.** Elle sert à tracer les pores dans le grain du chêne.
- **Coton hydrophile.** Un moyen très polyvalent qui sert autant à créer différentes textures qu'à amalgamer et adoucir dans toutes les techniques. Également utile pour exécuter les techniques du parchemin et du chiffon, et pour enlever l'excédent de glacis des surfaces. Utilisez un coton 90, offert dans les comptoirs de peinture et les boutiques d'artisanat.

Rouleaux à peinture

- **Plumes d'oie ou de dinde.** Utilisées pour tracer les nervures du faux-marbre et autres fausses-pierres. Les plumes de dinde sont conseillées parce qu'elles sont plus larges que les plumes d'oie. Elles peuvent avoir une inclinaison à droite ou à gauche, choisissez celles qui conviennent à l'orientation que vous voulez donner à votre projet.
- **Peigne à décor.** Peigne flexible, en plastique ou en métal, offert en différentes tailles, utilisé pour strier ou ajouter du grain aux surfaces. Un peigne ordinaire peut faire l'affaire.
- **Éponge de mer.** Elle sert à appliquer des couches de peinture au hasard sur une couche de base, comme dans la technique de l'éponge, celle des délavés, etc.
- **Vieux journaux.** Ils servent à décharger et à mélanger les glacis.
- **Roulette à tracer en caoutchouc.** Elle sert à créer des motifs de grains et de nervures de bois.
- **Bascule de caoutchouc ou éculeur à nervures.** Sert à créer un motif profond dans la technique du faux-bois.
- **Raclette.** Elle sert à strier, draguer et peigner les surfaces. Vous pouvez l'encocher vous-même avec des ciseaux ou un couteau tout usage.
- **Laine d'acier.** Elle sert à faire des stries dans les glacis et à créer une imitation de grain dans le bois.
- **Seaux.** En divers formats pour mélanger et verser peinture et glacis.
- **Papier carbone.** Pour tracer les patrons sur acétate.
- **Niveau.** Pour aligner les motifs.
- **Boîte de craie à tracer.** Pour aligner les motifs.
- **Chiffons propres et vieilles serviettes.** Pour nettoyer.
- **Acétate à pochoir ou parchemin.** Pour découper les patrons des pochoirs.

D'autres accessoires

Voici d'autres accessoires qui vous faciliteront la tâche pour appliquer la peinture en toute confiance. On trouve, parmi les plus utiles :

- **Aspirateur manuel ou au sol.** Pour nettoyer la poussière de ponçage.

- **Bac à peinture.** Pour appliquer la peinture et le glacis au rouleau.

- **Bâches, feuilles de plastique et vieux journaux.** Pour protéger les surfaces des éclaboussures et des débordements de peinture.

- **Balai à main.** Pour enlever toute trace de poussière sur les surfaces avant de peindre.

- **Baguette à peinture.** Pour mélanger peinture et glacis.

- **Bâtons à mélanger de différentes tailles.** Pour mélanger peinture et glacis.

- **Bocaux.** Pour ranger bien droits vos pinceaux spécialisés.

- **Bloc à poncer.** Pour tenir en place le papier.

- **Brosse à dents.** Pour nettoyer les outils.

- **Ciseaux et couteau tout usage.** Pour denteler les raclettes et autres coupes.

- **Couteau à tracer.** Pour couper les motifs dans l'acétate des pochoirs.

- **Crayon de plomb #1.** Pour tracer les patrons de pochoirs sur acétate ou parchemin.

- **Échelles de différentes tailles et modèles.** Pour avoir plus facilement accès aux surfaces.

- **Équerre de métal.** Pour mesurer et aligner les motifs.

- **Essuie-tout.** Pour nettoyer.

- **Extincteur d'incendie, de type domestique.** Pour combattre les petits incendies qui pourraient se déclarer à cause des émanations de solvant.

- **Maillet de caoutchouc ou marteau et planchette.** Pour refermer les boîtes de peinture.

- **Palette jetable.** Pour mélanger les couleurs et peindre les pochoirs.

- **Papier à poncer.** Pour préparer les surfaces et adoucir entre les applications. Offerts en plusieurs grosseurs de grain.

- **Pinceaux et peignes.** Pour redonner forme à vos pinceaux nettoyés.

- **Planche à découper rembourrée.** Pour couper les pochoirs.

- **Plats et tasses jetables.** Pour mélanger des échantillons de peinture ou déverser de petites quantités de peinture.

- **Ruban cache.** Pour protéger les boiseries, définir les endroits à peindre et fixer les pochoirs.

- **Séchoir rotatif.** Pour sécher les pinceaux.

- **Tissus rugueux.** Pour nettoyer la poussière de ponçage.

- **Vieux cartons et papier journal.** Pour retirer l'excédent de peinture des pinceaux.

- **Vitre à découper.** Peut remplacer la planche à découper pour tailler les pochoirs.

Le matériel et les instruments requis pour préparer et réparer les surfaces à peindre sont mentionnés dans le chapitre 4, commençant à la page 78.

Nettoyer des instruments de peinture

Pour nettoyer à fond vos instruments de peinture, vous devez les faire tremper, les rincer et bien les sécher, mais la méthode exacte dépend du genre d'instrument et du type de peinture que vous utilisez. Voici quelques conseils d'entretien pratiques pour l'entretient de vos outils.

Pinceaux

Raclez l'excès de peinture sur le rebord d'une baguette à mélanger la peinture ou d'un carton ondulé, puis nettoyez le pinceau dans le solvant approprié. Terminez toujours avec du savon et de l'eau tiède.

Peinture au latex et glacis. Lavez le pinceau dans une eau tiède et savonneuse (le savon à vaisselle convient très bien) et rincez en profondeur. Secouez-le en exécutant de grands gestes saccadés pour enlever l'excès d'humidité. Passez un peigne dans les poils et refaçonnez-les avec vos doigts. Suspendez les pinceaux de décorateurs par le manche pour les faire sécher et placez les pinceaux fins manche en bas dans un pot. Pour un rangement de longue durée, replacez le pinceau sec dans son emballage original ou dans du papier journal. Toute peinture sèche doit être grattée avec une brosse d'acier ou trempée dans l'alcool dénaturé.

Peinture à l'huile et glacis. Retirez l'excédent de peinture à l'aide d'une baguette à mélanger ou essuyez-la sur du papier journal. Trempez le pinceau dans un diluant minéral ou térébenthine et agitez les poils dans le liquide. Refaites l'opération jusqu'à ce que le liquide soit transparent. Secouez le pinceau dans un mouvement cassé du poignet, ensuite lavez le pinceau dans une eau savonneuse tiède et rincez bien. Coiffez les poils avec un peigne, ensuite agitez le pinceau à l'intérieur d'une boîte de carton ou d'un grand sceau. Replacez les poils avec vos doigts et enveloppez le pinceau dans son emballage original ou du papier journal. Rangez les pinceaux de décorateurs en les déposant à plat ou en les suspendant par le manche. Rangez les pinceaux délicats en les déposant manche en bas dans un pot. Rangez le solvant utilisé dans un bidon et refermez le couvercle. Réutilisez jusqu'à ce que le liquide devienne collant. Quand le liquide est devenu visqueux, vous devez en disposer tel que décrit dans les pages 60-61 du chapitre 2.

Il est très onéreux de s'équiper de bons pinceaux, mais si vous les nettoyez correctement, vous pourrez les réutiliser plusieurs fois. Suspendez vos pinceaux de décorateurs par le manche et rangez les pinceaux fins dans un pot, manche en bas.

Rouleaux et bacs

Vous devez retirer tout excédent de peinture, en raclant le manchon du rouleau contre le rebord du plateau à peinture, du seau à peinture, de la baguette à mélanger ou encore un carton ondulé. Versez les restes de peinture dans le seau, retirez le manchon du rouleau et nettoyez-le dans le solvant qui convient.

Peinture au latex et glacis. Lavez à grande eau tout l'assemblage du rouleau jusqu'à ce que l'eau soit propre. Retirez le manchon et lavez-le dans une eau savonneuse tiède (le savon à vaisselle convient très bien). Puis rincez jusqu'à ce que l'eau soit propre. Glissez vos doigts le long du manchon pour en extraire l'excédent d'eau et enroulez le manchon dans une serviette propre pour enlever le plus d'humidité possible. Placez cette enveloppe debout sur une autre serviette propre et faites sécher dans un endroit aéré. Quand le rouleau est sec, enveloppez-le dans une serviette propre ou du papier d'emballage et rangez-le debout. Ne rangez jamais le manchon d'un rouleau sur le côté, il va s'aplatir. Nettoyez le chariot et le bac à peinture de la même manière et démontez le chariot au besoin. Séchez le rouleau dans une serviette propre, rassemblez-le et rangez-le en le suspendant dans un endroit aéré.

Peinture à l'huile et glacis. Laissez tremper le manchon du rouleau durant plusieurs heures dans un solvant minéral ou de la térébenthine. Ensuite, enfilez des gants au latex et faites pénétrer le solvant dans les poils avec vos mains. Rincez de nouveau dans le solvant jusqu'à ce que le liquide soit clair. Enroulez le tout dans une serviette propre ou dans du papier journal pour absorber le solvant, séchez et rangez tel qu'indiqué plus haut. Utilisez davantage de solvant pour nettoyer le chariot et le bac, en suivant les indications décrites plus haut. Versez le solvant dans un bidon, vous pourrez en disposer en suivant les indications de la rubrique « Entreposer la peinture et se débarrasser des restes », pages 60-61.

Nettoyage des autres accessoires.

Suivez les instructions précédemment mentionnées. Lavez les accessoires dans l'eau savonneuse ou dans un solvant (selon ce qui conviendra), suspendez-les ou placez-les debout pour les faire sécher. Passez rapidement les plumes dans le solvant et faites-les sécher couchées. Utilisez une brosse à dents pour frotter les raclettes, les rouleaux à motifs, les roulettes et les peignes à nervures. Ne laissez jamais un accessoire de caoutchouc dans du solvant, il dégagerait une odeur et deviendrait inutilisable.

Protégez votre peau, vos yeux et vos poumons *contre les produits chimiques contenus dans la peinture. Portez toujours, pour travailler, des gants de caoutchouc des lunettes protectrices et un masque.*

Précautions à prendre

La peinture décorative semble être une entreprise mineure. Elle l'est de prime abord, mais elle implique l'utilisation de produits chimiques qui peuvent être dangereux s'ils sont manipulés à la légère. Les solvants au pétrole peuvent être rudes pour les mains et également dommageables pour vos poumons. Afin de vous protéger, suivez ces conseils élémentaires de sécurité.

Suivez toujours les indications d'utilisation et de sécurité du fabricant. Cette règle est sacro-sainte. N'y contrevenez jamais. Elle est particulièrement importante quand vous travaillez avec des produits qui contiennent des solvants à base de pétrole.

Assurez-vous de toujours travailler dans un environnement bien ventilé. Ouvrez toutes les portes et fenêtres afin de créer une bonne ventilation. Si la pièce est humide ou mal ventilée, utilisez un ventilateur à échappement extérieur. Éteignez toute source de flamme aux alentours. Plusieurs produits de peinture sont combustibles.

Gardez sous la main les articles de sécurité personnels décrits ci-dessous. Servez-vous en chaque fois que vous peignez. Vous en avez besoin pour vous protéger, vous et vos vêtements, contre les accidents mineurs comme les éclaboussures de peinture et contre les accidents plus graves tels le solvant qui entre en contact avec la peau ou l'inhalation d'émanations toxiques.

- **Masque contre la poussière et/ou respirateur.** Pour protéger votre nez et vos poumons des évaporations provenant des solvants et des produits solubles. Si vous utilisez ces produits de façon prolongée ou dans une pièce mal ventilée, portez un respirateur.

- **Lunettes de travail ou lunettes d'alpiniste.** Pour protéger vos yeux contre les éclaboussures, la poussière ou les émanations.

- **Gants de latex.** Pour protéger vos mains contre les solvants caustiques et la peinture au latex. Souvenez-vous : la peinture au latex est à base d'eau, elle absorbe littéralement l'humidité de la peau, des cuticules et des ongles. Si vous êtes allergique au latex, portez une paire de gants de coton chirurgicaux sous les gants de latex.

- **Sacs de plastique, format jardin.** Utilisez-les pour fabriquer un tablier protecteur que vous pourrez enrouler autour de vous. Tenez-les en place avec des attaches de sac de plastique.

- **Lotion pour la peau.** Enduisez vos mains, vos bras, votre figure, votre cou et toute autre partie de votre corps exposée à l'air d'une riche lotion ou de gelée de pétrole pour vous protéger des éclaboussures de solvant.

CHAPITRE 4

Les professionnels de la peinture décorative passent de une à trois heures à retoucher les surfaces avant d'y apposer la touche finale. Ils procèdent ainsi parce qu'ils sont conscients qu'une peinture décorative requiert une surface impeccable.

Préparation des surfaces : travail de base

Selon la surface que vous souhaitez peindre, la préparation requiert une méticulosité extrême et parfois fastidieuse. Il faut laver le mur, parfois gratter la peinture, colmater les fissures et les trous. Toutes ces tâches ardues donnent souvent l'envie de passer outre. Mais une nouvelle couche de peinture ne camou-flera pas ces imperfections, elle aura plutôt tendance à les faire ressortir. Alors, ne tournez pas les coins ronds. Vous pouvez cependant écourter le travail en utilisant une bonne technique et de bons instruments.

Les finis décoratifs, *tel les glacis et les pochoirs, donnent du style à une salle de bains. Avant de les peindre, protégez les murs contre l'humidité et d'éventuelles moisissures en appliquant une base.*

Matériel pour apprêter une surface à peindre

Les accessoires nécessaires à la préparation d'une surface sont généralement spécialisés. La liste qui suit contient des instruments qui vous seront utiles pour d'autres travaux, tant pour peindre des petits objets que pour recouvrir des surfaces aussi grandes que les murs et les plafonds d'une pièce. Concentrez-vous sur votre projet afin de déterminer vos besoins immédiats.

- **Aspirateur** (manuel). Pour ramasser les débris poudreux.

- **Aspirateur à multiples embouts.** Pour ramasser la poussière et les débris.

- **Bâches ou toiles en plastique.** Pour protéger les planchers, les tapis et le mobilier.

- **Balai et vadrouille.** Pour nettoyer avant et après.

- **Bloc à poncer.** Pour fixer le papier à poncer.

- **Brosse métalique** (cuivre, 2 mm, à poils fins). Pour enlever la pellicule de vinyle sur les papiers peints et enlever la peinture écaillée.

- **Chiffons.** Pour nettoyer.

- **Chiffons doux** (adhésifs). Pour ramasser les derniers résidus.

- **Couteau à mastic** (50 mm). Pour réparer les petites fissures et dégager le décapant à peinture.

- **Couteau tout usage.** Pour différents travaux de coupe.

- **Échelles et planches.** Pour atteindre les endroits difficiles d'accès.

- **Écran à peinture.** Pour travailler dans une calandre couverte.

- **Écroûteuse.** Pour perforer la couche de vinyle sur le papier peint.

- **Éponge.** Pour laver et rincer les surfaces.

- **Fusil chauffant** (électrique). Pour enlever le fini actuel de la surface du bois.

- **Gants** (latex, caoutchouc ou chirurgicaux). Pour protéger vos mains.

- **Genouillères.** Pour protéger vos genoux.

- **Grattoir à peinture recourbé.** Pour recueillir le surplus de peinture sur les boiseries et le mobilier.

- **Gros crampons** (de type C). Pour sécuriser la planche utilisée avec l'échelle.

- **Laine d'acier.** Pour enlever les décapants chimiques.

- **Lunettes de sport ou de travail.** Pour protéger vos yeux.

- **Marteau et clous.** Pour changer les clous sur les pièces de bois.

- **Masque chirurgical ou de travail.** Pour protéger vos poumons des vapeurs toxiques.

- **Ouvre-boîte à poinçon.** Pour éclaicir les fissures dans le plâtre.

- **Papier à poncer** (différentes grosseurs de grain). Pour adoucir les surfaces et égaliser les surfaces réparées.

- **Papier à poncer délicat.** Pour adoucir les retouches sur les boiseries.

- **Papier cache** (25, 30, 50 mm). Pour protéger le bois et départager les endroits à peindre et à ne pas peindre.

- **Papier cache** (50 mm). Pour tenir les toiles en plastique en place.

- **Ruban adhésif doublé sous votre bâche ou toile** (5 à 7 cm). Pour les tenir bien en place.

- **Pinceaux** (50 et 70 mm, jetables).
  Pour appliquer le décapant ou le scellant.

- **Ponceuse rotative.** Pour poncer tout genre de surface.

- **Ponceuse sur perche** (extensible). Pour atteindre les endroits difficiles d'accès.

- **Rallonge extensible.** Pour armature de rouleau, pour couvrir de plus grandes surfaces.

- **Revêtement de plastique** (2 mm).
  Pour protéger vos tapis, planchers et meubles.

- **Rouleaux à garnitures** (jetables, 25, 30, 100 mm).
  Pour appliquer la peinture et les glacis.

- **Sacs de plastique** (sacs de jardinage avec attaches à poignée). En guise de tabliers protecteurs et pour jeter les déchets.

- **Sacs de plastique de cuisine.** Pour les déchets.

- **Sacs de plastiques refermables** (format sandwich).
  Pour ranger divers accessoires ou objets qui vous seront utiles.

- **Seaux ou contenants.** Pouvant recevoir de l'eau, de la peinture et des rebuts.

- **Scie à panneaux.** Pour découper les panneaux autour des prises électriques.

- **Spatules larges (**15 - 20 - 25 cm). Pour appliquer le plâtre ou le bouche-pores sur les imperfections.

- **Tampon à récurer en nylon.**
  Pour enlever les taches de graisse et les résidus de décapant à peinture.

- **Tournevis.** Pour retirer et remettre la quincaillerie.

- **Tournevis électrique.** Pour faire des ajustements.

- **Vadrouille spongieuse.** Pour laver les murs et les planchers.

- **Vaporisateur.** Pour appliquer des produits nettoyants.

- **Vaporisateur de jardin** (neuf ou usagé). Pour appliquer une solution nettoyante ou un produit pour décoller le papier peint.

- **Vis à panneaux** (25, 30, 100 mm). Pour fixer les prises et remettre en place les panneaux.

Couteau tout usage

Papier à poncer de 80 grains

Matériel de préparation

Le matériel requis pour la préparation d'un projet se classe en trois catégories : décapants chimiques, matériaux de réparation et scellants. Encore une fois, cette liste comporte des matériaux pouvant servir à de multiples projets, autant à des petits objets qu'aux grandes surfaces. Concentrez-vous sur votre projet afin de déterminer vos besoins immédiats.

Décapants chimiques

La liste de produits chimiques qui suit s'applique à différents projets. Ces produits ne s'appliquent pas tous nécessairement à votre projet en cours, mais assurez-vous d'avoir sous la main celui dont vous aurez besoin avant de commencer vos travaux.

- Alcool dénaturé pour neutraliser l'effet chimique des surfaces décapées ou découvertes.

- Décapant à peinture chimique.

- Décapant commercial pour papier peint (à base d'enzymes).

- Décapant commercial pour rouille et moisissure.

- Diluant à glacis pour atténuer les reflets sur une surface lustrée ou semi-lustrée.

- Solvant minéral (blanc) pour nettoyer les surfaces de bois vernis.

- Eau de javel pour enlever la rouille et les moisissures.

- Nettoyant commercial pour murs ou nettoyant faible en phosphate.

- Nettoyant pour bois.

- Vinaigre blanc pour neutraliser les surfaces lavées au détergent ou autres produits nettoyants.

ÉCHELLES

Vous aurez besoin d'échelles pour appliquer la peinture décorative sur les murs et les plafonds. Le choix de la bonne échelle est indispensable, autant pour faciliter l'accès aux points à atteindre que pour votre propre sécurité.

La meilleure façon de procéder, consiste à disposer deux escabeaux de 1 m 80 (6 pi) à 3 m (10 pi) de distance, les marches face au mur. Posez-y une planche 2 X 10 de 3 m 20 (12 pi) de long, de façon que chaque extrémité dépasse de 30 cm (1 pi) les marches des escabeaux. Sécurisez la planche avec des étaux de type C. Cet échafaudage est robuste,

pratique, et se déplace facilement. Vous pouvez circuler librement sur la planche sans avoir à vous étirer à outrance ni à vous arrêter sans arrêt pour repositionner votre échelle. Cela vous permet également de garder votre peinture et vos instruments à portée de la main.

Vous pouvez repositionner votre planche en la changeant de marche, selon la hauteur désirée. La planche doit être de niveau et proche du mur. Elle doit atteindre l'arrière de la marche et dépasser de 30 cm (1 pi) la marche de l'escabeau. Sécurisez la planche avec des étaux de type C.

Pour réparer les trous et fissures

Si vous projetez de travailler sur un mur ou une surface de bois, il est possible que vous ayez
à effectuer quelques retouches avant de commencer. Voici ce dont vous aurez besoin pour
réparer les trous ou les fissures de ces surfaces :

- Calfatage acrylique pour sceller les fissures des murs et des panneaux.

- Ruban à joint (papier ou filet de fibre de verre autocollant)
  pour réparer les murs endommagés.

- Plâtre à joint pour réparer et sceller les revêtements endommagés.

- Apprêt au latex pour bien
  fixer la réparation.

- Mastic pour bois, au latex,
  pour réparer les imperfections
  des surfaces de bois.

- Plâtre de Paris, mélangé à un
  apprêt au latex, pour réparer
  les imperfections des surfaces
  plâtrées.

Scellants

En plus du plâtre de Paris, prévoyez :

- Scellant pour remplir les
  aspérités dans le grain du
  bois avant de poncer.

- Scellant pour refermer les
  pores aux endroits retouchés.

- Sous-couche (latex ou acrylique) pour préparer les surfaces réparées à recevoir
  la peinture et éviter tout
  décalage avec le reste
  de la surface.

*Un léger ponçage a
adouci la surface de
ce paravent avant
qu'il soit peint.*

AU SUJET DES PLAFONDS TEXTURÉS

Un plafond recouvert d'un enduit acoustique ne doit être ni lavé, ni épousseté. Si le plafond a été vaporisé avant 1970, il contient probablement de l'asbestose et ne doit sous aucun prétexte être manipulé par un non-professionnel. L'exposition à l'asbestose est très dangereuse pour la santé. Quelques options s'offrent à vous : vous pouvez recouvrir l'ancien plafond de lattes, poser un nouveau plafond flottant ou engager un entrepreneur spécialisé pour enlever l'asbestose et remplacer votre plafond.

Nettoyage des surface

Il est indispensable de laver toutes les surfaces avant de procéder au fini décoratif. La peinture adhère mal à une surface sale, tachée, poussiéreuse ou graisseuse. Après avoir effectué des retouches sur une surface, vous devez la nettoyer en profondeur.

Pour commencer, passez l'aspirateur avec un embout doux, ensuite lavez avec un produit nettoyant commercial ou une solution faible en phosphate (produit ménager). Vaporisez le produit nettoyant en une fine brume, une section de mur à la fois. Laissez le produit agir cinq minutes. Ensuite, à l'aide d'une petite éponge pour petites surfaces ou d'une éponge vadrouille pour murs et plafonds, frottez de bas en haut. Frottez les taches résistantes à l'aide d'un tampon à récurer en nylon ou la partie rêche de votre vadrouille. *Attention : ces produits nettoyants sont caustiques, alors protégez-vous.*

Rincez les surfaces de la même façon que vous les avez vaporisées, en utilisant une solution de 60 ml (1/4 tasse) de vinaigre blanc dans 4 litres d'eau. Utilisez une nouvelle eau de rinçage, une vadrouille ou une éponge propre pour chaque mur que vous lavez. Laissez sécher toute la nuit.

Il se peut que certaines taches résistent ou que certaines situations requièrent plus d'attention. Voici les principaux responsables et quelques solutions pour en venir à bout.

Moisissures. Bien qu'elles aient l'air de taches de saleté, les moisissures sont des champignons qui se développent dans des pièces chaudes et humides à faible ventilation. Pour s'en débarrasser, brossez la surface avec une éponge en utilisant un détachant pour moisissures, ou une solution de 250 ml (1 tasse) d'eau de javel avec chlore dans 4 litres d'eau. Laissez pénétrer plusieurs minutes et rincez avec le composé vinaigre et eau mentionné plus haut. Laissez sécher toute la nuit. Poncez légèrement la surface avec un papier 120 grains, nettoyez la poussière du papier à poncer et scellez en apposant deux couches de scellant blanc. Laissez sécher la première couche de scellant avant d'appliquer la seconde. Poncez légèrement la première couche avec du papier 120, puis nettoyez avec un chiffon rugueux avant d'appliquer la seconde couche.

Taches de graisse. S'il y a une tache de graisse tenace, frottez-la avec un peu de solvant à glacis. Laissez sécher durant la nuit et scellez en utilisant le même procédé que pour les moisissures, ci-dessus.

Taches d'eau et de rouille. Ces taches révèlent de sérieux problèmes d'eau. Il est temps de vous attaquer à la source du problème et de le corriger avant d'entreprendre quoi que ce soit. Attendez que l'endroit soit complètement sec, retirez les parties atteintes et réparez en utilisant les méthodes décrites dans les sections *Réparer les panneaux, Réparer le plâtre abîmé,* ou *Réparer le bois endommagé,* pages 93-97. Une fois que vous avez terminé, lavez et rincez comme sur un mur sans taches. Laissez sécher durant la nuit et scellez en utilisant le même procédé que pour les moisissures, ci-dessus.

*Les armoires de cuisine doivent être nettoyées en profondeur **avant de les blanchir.** Dans une cuisine, la graisse peut être tenace. Si les taches persistent après avoir utilisé un nettoyant commercial ou une solution d'eau et de vinaigre, utilisez un diluant liquide délustrant.*

Les finis fausses-pierres peuvent cacher quelques défauts, mais les surfaces doivent être propres avant de commencer le travail.

Finis lustrés ou semi-lustrés. Après les avoir lavés tel qu'indiqué précédement, poncez-les délicatement avant d'appliquer un nouveau fini. Utilisez un papier à poncer 150 grains ou un diluant pour glacis que vous appliquerez à l'aide d'une laine d'acier #00 si le lustre est faible ou moyen. Appliquez le diluant en suivant les indications du fabricant. Si la surface est très lustré, poncez-la deux fois. Premièrement avec un papier 120 grains, puis utilisez un 150 grains, ou encore un diluant avec une laine d'acier #0. Portez toujours des gants de latex et des lunettes protectrices quand vous utilisez des solvants. Terminez en rinçant la surface avec une solution de 350 ml (1$\frac{1}{4}$ tasse) de vinaigre blanc dans 4 litres d'eau pour enlever toute trace de poussière et neutraliser la surface.

Vous pouvez également laver les meubles et les boiseries teintes ou étanches de la même façon, mais vous devrez remplacer l'eau par un nettoyeur pour bois ou un solvant minéral. Posez et délustrez la surface de la même façon que précédemment.

Décaper meubles et boiseries

Trois raisons peuvent vous obliger à décaper entièrement une surface de bois : d'épaisses couches de vernis ou peinture, des grandes surfaces abîmées ou l'envie de changer entièrement le fini. Vous devrez alors revenir au bois naturel, puis recommencer à neuf. Pour y arriver, vous avez trois choix : le ponçage à sec, le fusil électrique chauffant ou un décapant chimique. Si vous décapez une peinture appliquée avant 1978, attention au plomb ! C'est une substance dangereuse. Vous pouvez vous procurer une trousse d'analyse dans une quincaillerie. Si le test indique la présence de plomb, adressez-vous à un professionnel pour cette portion du travail.

Ponçage à sec. C'est la meilleure méthode à utiliser sur des surfaces légèrement endommagées, surtout si vous avez l'intention de lui redonner le même genre de fini. L'idée est de retirer tout l'excédent usé jusqu'à l'obtention d'une surface lisse, sans toucher à la partie intacte.

Grattez avec une brosse métalique et une spatule recourbée les résidus de peinture. Travaillez de bas en haut. Grattez soigneusement et en profondeur autour de chaque éclaircie. La peinture peut sembler bien fixée mais elle peut avoir commencé à s'écailler sans que cela ne se voie. Poursuivez l'opération en ponçant avec un papier 100 grains pour adoucir les extrémités de chaque éclaircie à égalité de la peinture. Vous devez atteindre une surface lisse au toucher, sans la moindre callosité. Au besoin, faites les retouches nécessaires (voir *Réparer une boiserie abimée*, pages 96-97). Terminez en scellant la surface avec une couche d'apprêt blanc pour meubles peints ou une couche d'apprêt transparent pour meubles vernis. Laissez sécher durant la nuit.

Fusil électrique chauffant. Cet outil ramollit la peinture ou les vernis de façon à pouvoir l'enlever à l'aide d'un grattoir. Cette méthode n'est pas recommandée, car elle peut égratigner les surfaces. C'est

Pour obtenir un fini uni et lisse sur des armoires de bois peintes, commencez avec du bois nu et propre.

également laborieux et potentiellement dangereux. Un fusil électrique chauffant peut mettre le feu, sans compter qu'il vous expose à des vapeurs nocives. Il peut également laisser des traces de peinture dans le grain du bois, que vous aurez ensuite à enlever avec du décapant, ajoutant ainsi une autre étape à votre projet en cours.

Si malgré tout vous utilisez un fusil chauffant, portez des gants de cuir pour travailleurs, un masque et des lunettes protectrices, et suivez attentivement les instructions du fabricant, à savoir pendant combien de temps et à quelle distance tenir le fusil de la surface à décaper. N'utilisez jamais le fusil chauffant sur une surface ayant été préalablement traitée avec des décapants chimiques.

Décapants chimiques. C'est le meilleur produit à utiliser pour enlever complètement un fini et atteindre le bois nu. Avant de commencer, vous devez également réaliser que plus un décapant est efficace, plus il est dangereux. Portez toujours un équipement protecteur. Des lunettes, un masque, un tablier de plastique et des gants de latex. Les peintres professionnels portent souvent une paire de gants chirurgicaux de coton, imbibés d'eau, sous les gants de latex. Ils sont ainsi mieux protégés contre la toxicité des produits chimiques. Pour plus de sécurité, suivez les instructions des fabricants et travaillez toujours dans un endroit bien aéré.

Un décapant chimique pour peinture *ramènera le bois à son état naturel. Appliquez-le avant de peindre ou de refaire un fini.*

Un fini grain de bois rafraîchit un joli meuble ancien.

Commencez en utilisant des pinceaux jetables. Travaillez sur une surface de 930 cm² (1 pi²) à la fois. Étalez une couche épaisse de décapant, le pinceau toujours dans la même direction. N'agitez pas votre pinceau dans toutes les directions, car votre décapant perdrait de l'efficacité. Laissez reposer 10 minutes de plus que le délai recommandé. Si le produit commence à sécher, appliquez une autre couche. Quand le délai est écoulé, retirez la plus grosse quantité possible de fini, à l'aide d'une laine d'acier #0, d'un couteau à mastic ou d'un tampon à récurer en nylon. Changez de laine d'acier chaque fois que celle-ci devient trop imbibée, rincez le couteau à mastic et le tampon à récurer dans un seau contenant 500 ml (2 tasses) de vinaigre blanc et 8 litres d'eau.

Quand tous les résidus ont été enlevés, lissez la surface avec une laine d'acier #0000 et de l'alcool à friction pour qu'il n'y ait plus trace du moindre petit grumeau et neutraliser la surface. Frottez toujours dans le sens du grain. Laissez sécher au moins 24 heures.

ENLEVER LA PEINTURE TEXTURÉE

Enlever la peinture texturée d'un mur est un travail très salissant, mais pas trop compliqué si vous suivez ces indications. Mélangez une bouteille de décapant à papier peint à base d'enzymes réactives avec 250 ml (1 tasse) de vinaigre blanc, 500 ml (2 tasses) d'assouplissant pour tissus et 4 litres d'eau. Versez cette solution dans un vaporisateur à jardin neuf. Commencez dans un coin, puis faites le tour de la pièce de façon systématique, en vaporisant chaque section d'une fine bruine. Travaillez de bas en haut. Laissez le produit agir 5 minutes. Recommencez le processus dans le même ordre, laissez agir un autre 5 minutes. Vaporisez une troisième fois et attendez encore 5 minutes. À l'aide d'un couteau tout usage, grattez la texture en prenant bien soin de ne pas abîmer la base de la surface. Essuyez le mur avec une éponge ou une vadrouille éponge en vous servant du reste du produit décapant pour enlever tout résidu. Rincez le mur avec une solution de 250 ml (1 tasse) de vinaigre blanc dans 4 litres d'eau. Laissez sécher la surface et scellez le mur en appliquant une couche d'apprêt blanc à l'aide d'un pinceau ou d'un rouleau jetable.

Décoller le papier peint

Mises à part les raisons évidentes, il y a trois autres raisons d'enlever le papier peint avant d'appliquer un fini décoratif.

- Le recouvrement pourrait ne pas bien adhérer au mur.

- La peinture fraîche va humidifier la couche de colle sous le recouvrement et la faire décoller.

- Les teintures du papier peint vont se mélanger à la peinture et tout décolorer.

Les bandes de papier qui ont été correctement collées vont se détacher du mur facilement et proprement. Mais vous aurez sans doute à adoucir la surface pour enlever les résidus de colle, en utilisant une éponge trempée dans de l'eau chaude et un grattoir de 15 cm (6 po). Si le papier ne se décolle pas facilement, vous pouvez louer un appareil à vapeur qui ramollit la colle, qu'on enlève ensuite au grattoir, mais cette méthode est difficile, salissante et prend un temps fou. Optez plutôt pour un décapant pour papier peint commercial, qui contient des enzymes réactives. Vous trouverez ce produit dans une quincaillerie ou un centre de peinture. Vérifiez que le produit est bien à base d'enzymes. Sinon, cherchez-en un autre.

Il est facile d'enlever du papier peint. Utilisez un outil de perforation (également appelé écroûteuse) ou un papier à poncer de 60 grains pour perforer la surface imperméable ou vinylique du revêtement. Cela permettra au décapant de se répandre derrière le revêtement. Travaillez dans un mouvement circulaire, en mettant juste assez de pression pour toucher à la surface. Versez 4 litres de décapant dans un vaporisateur de jardin (propre) et vaporisez le mur en une fine bruine. Travaillez de bas en haut, une section à la fois. Quand vous aurez vaporisé tous les murs, recommencez le procédé dans le même ordre, et encore une

troisième fois. Attendez 15 minutes.
Une fois ce délai écoulé, enlevez les
panneaux de recouvrement avec une
spatule de 15 cm (6 po). Travaillez de
bas en haut et faites le tour de la
pièce dans l'ordre dans lequel vous
avez vaporisé le décapant. Vaporisez
les murs décapés avec le reste du décapant et essuyez en utilisant une
éponge propre ou une vadrouille
éponge pour enlever tout résidu. Rincez le mur avec une solution de 250 ml
(1 tasse) de vinaigre blanc dans 4 litres
d'eau. Laissez sécher toute la nuit.

Utilisez un grattoir à papier ou un
couteau à pain pour enlever le papier
peint. Après quoi, assurez-vous qu'il
ne reste aucun résidu de colle.

Réparation des surfaces

Pour toutes réparation de surface, il y a
trois étapes de base. Gratter, colmater et poncer. Afin de ne pas
répéter ces étapes pour chaque type de réparation présentée dans
ce chapitre, nous ne les décrivons qu'une seule fois. Revenez-y
chaque fois que vous en aurez besoin.

Gratter

Les surfaces qui s'écaillent, s'ébrèchent ou font des bulles doivent
être grattées avant d'être lavées. Tenez le grattoir dans un angle
de 45 degrés et grattez fermement, dans un geste de va-et-vient,
jusqu'à ce que la peinture se détache entièrement pour faire place
à une surface propre. Veillez à bien pénétrer la peinture autour
des endroits endommagés pour éviter qu'elle ne s'écaille plus tard.
Une fois la peinture décollée, poncez autour de l'entaille pour
niveler la surface avec un papier 120 grains. Enlevez la poussière
avec un linge rugueux et scellez avec une couche d'apprêt blanc.

Colmater

*Avant d'appliquer une technique de peinture, **réparez tous les trous** dans les murs. L'artiste Lucia Samu a appliqué un fini antique sur les murs de cette salle à manger.*

Mis à part les petits trous laissés par les crochets à tableau, le colmatage se fait toujours en un mouvement de va-et-vient. Appliquez le scellant à l'aide d'un couteau à mastic ou d'une spatule dans le sens de l'imperfection. L'outil doit être suffisamment large pour couvrir la largeur de la zone affectée. Remplissez la cavité de scellant, en travaillant à l'intérieur du trou, par petits coups horizontaux. Travaillez de bas en haut, dans une seule direction. Quand la cavité est remplie, rabaissez immédiatement votre outil verticalement vers le bas afin d'enlever l'excédent de scellant. Si le défaut est minuscule, le scellant doit remplir l'orifice sans déborder sur le mur. Il doit affleurer le reste de la surface.

Si la cavité est profonde et dépasse 12 mm (1/2 po) de diamètre, appliquez deux couches de scellant pour éviter la contraction du scellant. D'abord, appliquez une épaisse couche jusqu'a 3 mm (1/8 po) de la surface et laissez sécher durant la nuit. Poncez délicatement avec un papier 120 grains, enlevez la poussière et ajoutez la seconde couche par-dessus. Laissez sécher durant la nuit. Poncez de nouveau avec un papier 120 grains, enlevez la poussière et scellez avec une sous-couche blanche.

Il arrive que certaines imperfections exigent une troisième couche. Dans ce cas, ne poncez pas la première couche, une fois sèche. Appliquer une seconde couche mince et laissez sécher durant la nuit. Poncez délicatement avec un papier 120 grains, enlevez la poussière et ajoutez la troisième couche. Complétez la réparation tel qu'indiqué ci-dessus.

Poncer

Le ponçage produit un fini légèrement rugueux qui aide la peinture à adhérer aux surfaces. C'est pourquoi il est important de prendre le temps de bien poncer entre chaque étape d'une réparation. La plupart du temps, vous n'avez qu'à frotter délicatement pour enlever les pointes qui ressortent du scellant, sans avoir à creuser l'intérieur. Le ponçage final doit égaliser la dernière couche avec le revêtement existant.

Utilisez un écran protecteur pour les murs, un bloc à poncer, une perche ou une ponceuse circulaire pour adoucir le fini des petites réparations. Utilisez une ponceuse plus puissante pour les plus gros travaux. N'utilisez jamais de ponceuse à courroie, qui pourrait creuser la surface. Poncez toujours les boiseries et le plâtre dans le sens de la réparation, mais poncez toujours à la main le bois dans le sens du grain. Quand vous poncez, portez un masque ou encore mieux un respirateur. Isolez le plus possible la pièce du reste de la maison.

Réparer les boiseries

Bien que les boiseries ne craquent pas aussi facilement que le plâtre, elles ont également leurs problèmes : des clous qui ressortent, des bosses, des trous causés par un choc et des joints ouverts. Tout cela se répare facilement.

Clous qui ressortent. Les clous qui ressortent ne signifie pas que la maison est mal construite, c'est plutôt le résultat de l'expansion et de la contraction normale de la structure de la maison. Pour les fixer, posez des vis de 3 cm (1^1/4 po) dans la charpente à 5 cm (2 po) de distance de chaque clou ressorti. Fraisez les vis à 0,8 mm (^{1}/32e po) dans la surface de la boiserie. Cela devrait retenir fermement la boiserie contre le mur. Retirez ensuite les clous et grattez la peinture ou le vernis qui s'écaille. Recouvrez les trous laissés par les clous, ainsi que les têtes des vis, avec du plâtre de Paris, en suivant les indications de la section « Colmater » de la page précédente.

Des techniques à l'éponge et au chiffon ont donné à ces murs un aspect texturé.

Avant d'utiliser la technique du faux-bois sur ce vieux manteau de cheminée, toutes les surfaces ont été réparées.

Bosses superficielles. Si la surface entourant la petite bosse n'est pas brisée, remplissez la cavité avec du plâtre de Paris, en utilisant la technique de la section *Colmater*, page 92. Si la surface est brisée ou les bords fendus, recouvrez la zone de ruban de filet de fibre de verre (de préférence) ou d'un papier à joint humide, et appliquez du plâtre à joint, tel que décrit dans la section *Colmater*.

Grands trous. Tout ce qui est plus grand que 5 cm (2 po) de largeur nécessite un renforcement. Mesurez la profondeur et la largeur du trou. Découpez une pièce de boiserie rectangulaire plus grande que l'étendue du trou, centrez bien la pièce au-dessus du trou et tracez son contour au crayon sur le mur. Utilisez une scie à boiseries et découpez les endroits tracés au crayon.

Les joints ajourés et les trous pourraient ruiner l'apparence d'un fini délicatement peint, comme une fresque murale.

Coupez deux ou trois pièces de boiserie de 1 x 2, 8 à 10 cm (3 - 4 po) pouces plus longues que le trou. Glissez-les derrière l'ouverture et fixez-les au mur avec des vis de 3 cm (1 1/4 po).

Poussez la pièce dans l'ouverture et fixez-la sur la bande arrière avec des vis à boiseries de 3 cm (1 1/4 po). Appliquez des bandelettes de fibre de verre autocollantes ou du papier à joint sur les raccords pour recouvrir les imperfections. Complétez la réparation tel qu'indiqué à la section *Colmater*.

Joints ouverts. Les fissures causées par la tension des structures sont difficiles à réparer parce qu'elles ont tendance à réapparaître sitôt que la maison bouge. La méthode la plus efficace consiste à remplir les fissures avec du scellant à joints, à ajouter de la fibre de verre autocollante, puis une couche de fini quand le tout est sec.

Si la fissure est plus importante qu'une gerçure mais plus étroite que 6 mm (1/4 po), élargissez-la légèrement et rognez les côtés à l'aide d'un couteau tout usage. Si la fissure excède 6 mm (1/4 po), n'y touchez pas. Retirez les débris de la fissure avec un aspirateur ou une brosse douce. Faites pénétrer le scellant à joints dans la fissure et son

pourtour à l'aide d'un couteau tout usage, en utilisant la technique décrite dans la section *Colmater*. Au lieu de sceller avec un apprêt blanc, renforcez la fissure sur toute sa longueur avec (de préférence) du ruban de fibre de verre autocollant ou du papier à joints imbibé. Appliquez séparément trois épaisseurs de scellant à joints, par-dessus le ruban, en utilisant la méthode de superposition de la section *Colmater*. Adoucissez la surface en ponçant entre chaque application et terminez en scellant avec un apprêt blanc.

Les fissures mineures ne vont pas gâcher l'apparence intentionnellement vieillotte d'un mur. Ces murs présentent un subtil délavé, appliqué à l'éponge.

Les surfaces lisses sont particulièrement importantes dans les chambres d'enfant. Cette plaisante murale égaie l'aire de jeu d'une fillette.

Réparer le plâtre abîmé

Il est presque impossible pour un amateur de réparer une large surface de plâtre abîmé. Faites appel à un plâtrier professionnel ou recouvrez entièrement le mur de lattes de bois, tel que décrit dans la section *Aplanir murs et plafonds,* page 98. Toutefois, il vous est possible de réparer des petites fissures et d'autres défauts n'atteignant pas plus de 75 cm² (12 po²), mais avant d'entreprendre quelque réparation que ce soit sur du plâtre, vous devez faire trois choses :

- Vérifiez la solidité du plâtre autour de l'endroit affecté. Grattez toutes les parties qui présentent une faiblesse, en travaillant vers l'extérieur, et tout le périmètre autour de l'endroit affecté jusqu'à ce que vous sentiez une résistance.

- Si le plâtre est texturé, grattez le maximum autour du défaut. Vous le remplacerez au moment de peindre.

- Dégagez tout ce qui se détache et nettoyez le trou avec un balai propre. Ensuite, imbibez la surface autour du trou avec du latex à joints, en suivant les directives du fabricant.

Remplissage des imperfections de moins de 20 cm² (3 po²). Remplissez les petits trous et les fissures avec du scellant pour intérieur. Utilisez la technique décrite dans la section *Colmater,* page 92.

Remplissage des imperfections jusqu'à 75 cm² (12 po²). Pour ces travaux, utilisez du plâtre de Paris. Mélangez le plâtre et l'eau jusqu'à obtention d'une pâte lisse. Colma-tez tel que décrit dans la section *Colmater,* page 92, en ajoutant ce qui suit. Laissez sé-cher la première application de plâtre durant 15 minutes. Ensuite, à l'aide d'un clou ou d'un couteau, faites des entailles à contretaille à intervalles de 12 mm (1/2 po). Mélangez la couche finale de plâtre avec de l'eau jusqu'à consistance crémeuse. Appliquez par-dessus la couche de base, en la lissant le plus possible. Laissez sécher durant 30 à 60 minutes. Pour éviter d'avoir à poncer de nouveau, adoucissez la réparation avec une éponge humide. Laissez cette couche finale durcir complètement et scellez avec un apprêt blanc.

Réparer une boiserie abîmée

Nettoyez toujours une réparation et poncez toujours une surface de bois avant d'appliquer un fini. Si vous avez complètement décapé l'ancien fini et avez gratté et adouci la partie endommagée, vous avez déjà complété la première étape du processus.

Quand le bois a été gratté et poncé en douceur, lavez-le comme vous le feriez pour un mur, asséchez-le au complet, immédiatement (voir « Nettoyage des surfaces », pages 84 - 86). Ne laissez pas les surfaces de bois mouillées sécher à l'air libre. Si le fini est émaillé lustré ou semi-lustré, essuyez-le avec un délustrant liquide, à l'aide d'une laine d'acier #0, ou poncez légèrement avec un papier 150 grains. Si un décapage complet a déjà été effectué, sautez ces deux premières étapes et passez à la suivante.

Du mastic à bois a servi à réparer ce miroir et cette vanité endommagés.

Appliquez du mastic pour bois au latex sur toutes les surfaces abîmées en suivant les indications du fabricant. Laissez sécher durant 24 heures et poncez les retouches avec un papier 150 grains. Scellez avec un apprêt blanc. Quand l'apprêt a séché, au bout d'une heure, poncez toute la surface avec un papier 150 grains et scellez de nouveau avec une seconde couche de scellant blanc.

Réparer des murs très endommagés

Il arrive que certains murs soient endommagés à un point tel qu'une réparation normale ne peut en venir à bout. Cela comprend les murs à finis texturés et les murs qui ont reçu plusieurs couches de peinture, peu importe si la peinture s'est écaillée ou non. Devant une telle situation, vous n'avez d'autre choix que de refaire la surface en la lissant.

Il existe quatre façons de rendre lisse un mur ou un plafond :

- Détruire la surface existante et la refaire à neuf. Cette option est coûteuse, salissante et prend beaucoup de temps.

- Coller et visser des panneaux de plâtre de 6 mm (¹/4 po) d'épaisseur sur le mur existant. Il faut défaire toutes les boiseries avant d'installer les nouveaux panneaux.

- Aplanir les murs et boiseries endommagés avec du mastic à joints.

- Enlever la peinture texturée.

Des quatre solutions, aplanir les murs est la plus pratique, c'est également la plus sécuritaire si vos murs sont enduits de peinture à base de plomb.

Aplanir murs et plafonds. Cette méthode est à la fois rapide, peu coûteuse et relativement facile pour stabiliser et sceller un mur endommagé. Cette technique, également appelée *river* ou *écumer un revêtement*, ne prend que quelques heures, échelonnées sur trois jours. Sauf dans le cas des peintures aux finis texturés, cette méthode s'applique bien à toute surface.

Commencez par gratter la peinture écaillée avec une brosse ou un couteau tout usage. Attention de ne pas abîmer la surface. Portez un respirateur pour protéger vos poumons de la poussière. Poncez toute la surface avec une ponceuse à manche munie d'un papier 40 grains. Enlevez la poussière avec un aspirateur, puis passez une vadrouille humide sur toute la surface pour enlever tout résidu.

Recouvrez toute la surface de gomme laquée blanche, en utilisant un pinceau ou un rouleau jetable. Laissez sécher au moins une heure. Poncez légèrement avec un papier 100 grains. Enlevez la poussière et appliquez une seconde couche de laque. Laissez sécher entièrement et poncez avec un papier 120 grains, et enlevez la poussière.

Diluez le plâtre de Paris dans l'eau jusqu'à obtention d'une consistance de crémage à gâteau. À l'œil, divisez les surfaces en segments de 25 cm^2 (4 pi^2). Appliquez le mastic sur ces sections, à la grandeur, en un mouvement de balayage, en utilisant une large spatule.

Sur les murs, commencez dans un coin en bas et remontez jusqu'à mi-mur. Appliquez une mince couche de mastic sur la première section en lissant la truelle. Toujours à mi-mur, répétez le processus sur chaque section additionnelle tout autour de la pièce. Revenez au point de départ et aplanissez le haut du mur de la même façon. Répétez l'opération sur chaque mur. Laissez sécher toute la nuit. La deuxième journée, poncez légèrement la surface avec un papier 120 grains. Enlevez la poussière et appliquez une seconde couche, comme dans l'exercice précédent, en lissant le plus possible pour éviter le ponçage excessif. Laissez sécher durant la nuit. Le troisième jour, poncez légèrement avec un papier 120 grains. Enlevez la poussière. Terminez en scellant la surface avec une base à l'huile ou une gomme laquée blanche.

Procédez de la même façon pour les plafonds, en débutant dans un coin de la pièce. Couvrez une première rangée de sections de 25 cm^2 (4 pi^2) à la largeur de la pièce. Répétez l'opération jusqu'à ce que le plafond soit entièrement couvert. La finition se fait de la même manière que pour les murs.

Mise en chantier

Maintenant que vous avez fait preuve de détermination pour mener à bien votre projet, en suivant religieusement toutes les étapes de préparation des surfaces, vous êtes prêt à entreprendre le travail de base à partir duquel vous appliquerez la technique de votre choix. Vous aurez à appliquer un apprêt, un scellant ou une couche de peinture de fond.

Préparer la pièce

Préparez la pièce en retirant le plus de meubles possible, avant d'appliquer la sous-couche et la couche de fond. Placez les meubles restants au milieu de la pièce et recouvrez-les d'une bâche de plastique ou de toile. Supprimez des murs tout ce qui pourrait nuire au passage du pinceau ou du rouleau, comme les plaques de commutateur, les grilles d'aération et les fixettes murales. Mettez les petites pièces comme les vis et les plaques de commutateur dans des sacs en plastiquee, que vous étiquetterez pour les identifier. Si vous peignez le plafond, enlevez les lustres et plafonniers, et recouvrez-les de sacs en plastique.

Une fois la pièce débarrassée, passez l'aspirateur sur la moquette ou balayez le plancher pour éliminer toute trace de poussière. (Vous ne voulez pas qu'elle s'incruste sur votre surface de travail.) Époussetez également les boiseries. Collez des bandes de papier cache (3,8 cm - 1 1/2 po) le long des rebords des boiseries et couvrez le plancher de bâches.

Avant de peindre un plafond, collez du papier cache tout le long de la lisière du mur. Si vous peignez des boiseries, collez le papier cache sur le mur, le plus près possible de la lisière du bois, en y attachant une feuille de plastique le long du mur pour le protéger. Pour un plus petit projet, comme peindre un meuble, travaillez dans un endroit bien aéré, bien éclairé, et couvrez les alentours de bâches de plastique ou de toile ou encore de papier journal. C'est encore mieux si vous avez un garage dont vous pouvez garder la porte ouverte.

La préparation d'une pièce pour un projet d'envergure, comme une murale, implique : passer l'aspirateur, recouvrir toutes les boiseries de papier cache, retirer toutes les plaques électriques, les grilles et les boîtes de thermostat.

PIANIFICATION DU TRAVAIL

Faites votre plan avant de commencer à peindre. Les peintres professionnels peignent normalement une pièce dans cet ordre : plafond, murs, bordures de portes et fenêtres, moulures de plafond, boiseries et plancher.

Peignez les panneaux de porte dans cet ordre. Avec votre pinceau, allez toujours dans le sens du grain du bois, horizontalement sur les sections horizontales et verticalement sur les sections verticales ; panneaux centraux (section centrale verticale) ; haut de porte (section horizontale du haut) ; milieu de porte (section horizontale centrale) ; bas de porte (section horizontale du bas) ; côtés de porte (section verticale des côtés) ; bordure de porte ; côté ouverture.

À noter qu'il est préférable de peindre la partie supérieure de chacune de ces sections avant la partie inférieure. Vous devez toujours travailler dans la direction de votre main dominante. Les portes pleines doivent être divisées en six sections et vous devez manier votre pinceau dans la direction de votre main dominante, selon que vous êtes droitier ou gaucher.

Les meubles d'appoint doivent être peints à l'envers, posés sur des blocs ou sur une bâche de plastique ou de toile, ou encore sur une pile de papier journal. Peignez toujours de bas en haut. Quand le dessous et les côtés sont peints et secs, retournez le meuble à l'endroit et peignez le dessus.

Scellant et apprêt

Toujours appliquer un scellant ou un apprêt sur une nouvelle surface (voir « Sous-couches », page 45). Il existe trois formules de sous-couches : le latex, (à base d'eau), l'huile (à base d'alkyde) et la gomme laquée (à base d'alcool). Si vous n'avez pas encore choisi votre formule, faites-le maintenant. Votre choix influencera le choix des autres produits que vous appliquerez sur la couche de fond. Souvenez-vous : les bases à l'eau et à l'huile peuvent recouvrir des surfaces peintes à l'eau et à l'alcool, mais seules les bases à l'huile peuvent recouvrir convenablement une surface déjà peinte à l'huile.

La plupart des sous-couches sont blanches et ajouteront de la luminosité à la couleur de votre couche de base. Colorez la sous-couche à 50-70% de la couleur de la couche de base si cette dernière est sombre, foncée ou très claire.

Sur le marché, on retrouve des sous-couches pour extérieur et pour intérieur. Vous aurez évidemment recours au produit d'intérieur. Les produits sont également conçus avec des suppléments prévus pour des travaux spécifiques. Par exemple, une surface de métal requiert un apprêt pour métal, mais la sorte de métal vous indiquera si oui ou non votre apprêt doit être également antirouille. Le fer a besoin d'un antirouille, l'aluminium pas. Si vous avez quelque hésitation, prenez conseil auprès des professionnels des comptoirs de peinture.

Quand vous travaillez avec des bases d'huile ou d'alcool, portez toujours un masque protecteur. Ces substances dégagent des vapeurs qui peuvent être très dommageables pour votre santé. Travaillez toujours dans un endroit bien aéré.

Appliquer la sous-couche au rouleau comme vous le feriez pour une couche de base, mais sans qu'il soit nécessaire de faire disparaître les traces de coups de rouleau (voir *Peindre au rouleau,* page 102).

Couche de base

Vous êtes fin prêt à commencer la création de votre fini décoratif. Ce qui signifie que tous vos minutieux et laborieux préparatifs vont finalement porter fruit. Vous aurez d'ores et déjà choisi le style, les couleurs et les produits indispensables. Prenez la peine de préparer un échantillon du produit fini et promenez-vous dans la pièce pour en vérifier l'effet de lumière sur la couleur (voir « Sous-couches », page 112). Analysez bien votre échantillon et revoyez votre projet au besoin. C'est le moment d'y apporter des correctifs avant de passer à l'étape suivante. Vous êtes maintenant au point de non-retour. Le moindre changement n'apporterait que confusion, frustration et dépenses supplémentaires.

Il est sage d'utiliser un mélange de peinture commerciale comme couche de base. Si vous préférez mélanger vos propres couleurs, suivez le guide du chapitre 5, pages 114-115. Si la couche de base requiert plusieurs gallons de peinture, versez-les tous dans un seau de 20 litres et mélangez à fond pour éviter une différence de couleurs entre les gallons.

Ce procédé s'appelle *emboîter*. Reversez la peinture emboîtée dans les contenants originaux de 1 gallon, refermez hermétiquement et mettez-les de côté en attendant de les utiliser.

Vous pouvez utiliser un pinceau pour appliquer une couche de fond sur les petites surfaces, mais utilisez un rouleau pour les plus grandes surfaces. On entend par grande surface toute surface plus grande qu'une porte double.

Peindre au pinceau de décorateur. Tenez délica-tement le pinceau de façon que le pouce supporte le dessous de la férule (pourtour métallique soutenant les poils du pinceau). Les trois doigts suivants seront appuyés sur le manche pour assurer la stabilité du tracé.

Le lustre des murs de cette cuisine apparaît uniforme parce que les couleurs de la couche de base ont été mélangées en même temps.

Prévoyez travailler par sections de 1,20 à 1,80 m (4 - 6 pi) de large, la peinture pour chaque section chevauchant légèrement la section précédente. Travaillez verticalement sur les murs et les plafonds. Travaillez dans le sens du grain sur les boiseries et les meubles.

Trempez le tiers de l'extrémité des poils de votre pinceau directement dans la peinture. Retirez le pinceau bien droit et enlevez l'excédent en le frottant légèrement contre la paroi du contenant ou du bac. Ne plongez jamais votre pinceau dans la rainure du rebord du contenant. Vous risqueriez d'endommager les poils, de former un cerne de peinture qui sèchera, craquera et causera un réel dégât quand vous ouvrirez et refermerez le contenant.

Tenez votre pinceau à un angle de 45 degrés. Appliquez la peinture en un long mouvement droit et continu et en chevauchant légèrement le trait précédent. Étalez la peinture sur une superficie donnée, puis ensuite passez la suivante. Peignez à la surface avec toute l'extrémité du pinceau et appliquez juste ce qu'il

faut de pression pour que les poils se recourbent en étalant la peinture. À la fin du mouvement, adoucissez les rebords du trait en repassant du bout des poils dans le même mouvement prolongé sur la base du trait. Cela s'appelle *uniformiser*. Cela permet à la peinture de se clairsemer pour se confondre avec le coup de pinceau précédent et vous permettre de passer à la section suivante.

Peindre au rouleau. Le rouleau est le meilleur instrument pour peindre de grandes surfaces plates, parce qu'il étend la peinture rapidement et facilement. Apprêtez le rouleau en l'imbibant en profondeur avant de le rouler sur des bandes d'essuie-tout propres, jusqu'à ce qu'il soit sec. Trempez-le dans l'eau pour la peinture au latex et dans un solvant minéral pour la peinture à l'huile. Ce procédé permet également d'éliminer toute trace de mousse volatile sur le rouleau.

Divisez vos surfaces de murs ou de plafonds en sections de 1,80 m (6 pi) de largeur. Remplissez le bac à moitié avec la

*Pour peindre les surfaces des armoires et des portes, **tenez votre pinceau de décorateur** à un angle de 45 degrés.*

peinture. Faites le découpage des coins le long des murs, des boiseries et de tout autre ornement de bois de la première section, en utilisant un pinceau de 75 mm (3 po).

Trempez complètement le rouleau dans la peinture. Soulevez-le du bac et roulez-le sur la partie ondulée afin de faire pénétrer la peinture dans les poils. Le rouleau doit être couvert sans s'égoutter.

Commencez au bas du côté gauche de la section. Faites glisser le rouleau jusqu'au haut de la section en un seul mouvement prolongé. Au sommet, redescendez immédiatement le rouleau jusqu'en bas, dans un angle de 45 degrés, et remontez dans le même angle pour former le centre d'un M, puis redescendez le rouleau en ligne droite pour former les derniers traits du M. Continuez à tracer des M superposés jusqu'à ce que la section soit entièrement recouverte de peinture. Remplissez le bac à deux ou trois reprises durant ce processus.

Pour éviter les rayures apparentes, passez *d'une section à l'autre pendant que la peinture est encore mouillée.*

Terminez la section en effectuant une série d'aller-retour allégés pour uniformiser la peinture. Cela s'appelle *étaler*. Pour ce faire, redescendez le rouleau du haut de la section vers le bas en le soulevant du mur quand vous touchez l'extrémité du tracé. Remontez vers le haut, puis, en chevauchant le premier tracé sur une largeur de 3 cm (1 po), redescendez de nouveau. Répétez l'opération jusqu'à ce que la section soit entièrement lisse.

Travaillez rapidement pour éviter que la peinture qui borde la section suivante ne sèche. Cela s'appelle l*aisser un rebord humide.* Cette marge humide permet d'accéder à la section suivante sans laisser de traces de démarcation.

Couche de finition

Avant d'appliquer la couche de finition, assurez-vous que la surface est complètement sèche, sans saletés ni graisse. Appliquer une nouvelle peinture sur une surface humide ou sale risquerait de la faire craqueler avec le temps, si elle ne fait pas de bulles sitôt que vous l'avez appliquée. Si vous appliquez du polyuréthane, utilisez un contenant neuf. Ces produits se détériorent rapidement une fois exposés à l'air.

Appliquez la couche de finition avec un rouleau (de mousse ou de tissu) ou un pinceau spécialement conçu pour le vernis. Appliquez trois minces couches, en laissant sécher entre chaque application. Diluez la première couche de 20 % et la seconde de 10 %. Après la première couche, poncez avec du papier 600 ou 800 grains. Enlevez la poussière et appliquez la troisième couche sans diluer.

PRÉPARATION DES SURFACES

	Panneaux de plâtre non peints (murs et plafonds neufs)	Panneaux de plâtre peints (murs et plafonds existants)	Plâtre non peint (surfaces neuves ou ornements architecturaux)	Plâtre non peint (surfaces neuves ou ornements architecturaux)	Bois brut, bois nu ou décapé, vieux bois
NETTOYAGE	Enlevez la poussière avec un balai ou un aspirateur à embout doux.	Époussetez, lavez avec un produit nettoyant courant et rincez à l'eau et au vinaigre. Laissez sécher durant la nuit.	Époussetez avec une brosse douce, poncez délicatement si nécessaire. Enlevez la poussière.	Lavez avec un produit nettoyant maison, rincez à l'eau et au vinaigre, laissez sécher 48 heures.	Enlevez la poussière avec un balai ou un aspirateur à embout doux.
PRÉPARATION	Colmatez avec du mastic à joints, au besoin (voir *Réparer les boiseries*, pages 93-95). Camouflez les pièces réparées avec de la gomme laquée blanche. Recouvrez d'un apprêt au latex ou d'un scellant à l'acétate de polyvinyle.	Colmatez avec du mastic à joints, au besoin (voir *Réparer les boiseries*, pages 93-95, et *Aplanir murs et plafonds*, page 98). Camouflez les pièces réparées avec de la gomme laquée blanche. Si la peinture est abîmée ou fortement colorée, appliquez un apprêt au latex ou à l'huile.	Réparez les défauts avec du mastic à joints ou du plâtre de Paris (voir *Réparation des plâtres abîmés*, page 96). Camouflez les pièces réparées avec de la gomme laquée blanche. Utilisez un apprêt à l'huile (préférablement) ou au latex.	Réparez les défauts avec du mastic à joints ou du plâtre de Paris (voir *Réparation des plâtres abîmés*, page 96). Camouflez les pièces réparées avec de la gomme laquée blanche. Au besoin, utilisez un apprêt à l'huile ou au latex.	Camouflez les nœuds à la gomme laquée blanche, réparez les imperfections avec le mastic pour bois au latex, calfatez les veines au besoin (voir *Réparer les boiseries*, pages 93-95, 96-97). Camouflez les pièces réparées avec de la gomme laquée blanche. Appliquez un scellant émaillé à base d'huile sur les surfaces à peindre, poncez le scellant si le fini est à vernir. Laissez sécher, poncez légèrement, enlevez la poussière.
COUCHE DE BASE	Peinture à l'huile ou au latex	Peinture au latex ou à l'huile, selon l'apprêt	À l'huile de préférence, latex acceptable	Peinture au latex ou à l'huile, selon l'apprêt	Peinture à l'huile

EN UN COUP D'ŒIL

Bois peint	Laminés, plastique, résine	Maçonnerie ancienne non lustrée (faites vieillir au moins six mois les matériaux neufs avant de peindre)	Métaux corrosifs	Métaux non corrosifs
Lavez avec un produit nettoyant maison, rincez à l'eau et au vinaigre, asséchez avec une serviette ou essuyez avec du diluant minéral, et séchez à l'air. Laissez reposer 24 heures.	Époussetez, lavez avec un produit nettoyant courant et rincez à l'eau et au vinaigre. Laissez sécher durant la nuit. Essuyez avec de l'alcool à bois.	Frottez la surface avec une brosse d'acier et un détergent puissant, rincez à l'eau et au vinaigre. Frottez encore avec une solution d'eau et de l'acide muriatique, rincez, asséchez et laissez reposer durant la nuit.	Enlevez la rouille avec une brosse métalique, balayez la poussière, lavez avec un détergent maison, rincez à l'eau et au vinaigre, asséchez et laissez reposer durant la nuit.	Époussetez, lavez avec un produit nettoyant courant et rincez à l'eau et au vinaigre. Laissez sécher durant la nuit.
Grattez la peinture qui s'écaille, remplissez les imperfections avec du mastic pour bois au latex, enlevez le vernis au besoin (voir *Réparer les boiseries*, pages 93-95, 96-97). Camouflez les pièces réparées avec de la gomme laquée blanche. Utilisez un apprêt à l'huile (préférablement) ou au latex.	Poncez la surface pour la rendre rude, essuyez la surface avec un délustrant liquide ou de l'acétone. Appliquez un apprêt à l'huile ou plastique.	Réparez les défauts avec du plâtre de Paris ou du mortier au besoin, et appliquez un scellant à l'huile ou au latex.	Poncez la surface pour la rendre rude, essuyez la surface avec un délustrant liquide ou de l'acétone. Appliquez un apprêt antirouille.	Poncez en un mouvement circulaire ou frottez avec un liquide anti-lustre.
Peinture au latex ou à l'huile, selon l'apprêt	Peinture à l'huile	Peinture au latex ou à l'huile, selon l'apprêt	Peinture à l'huile	Peinture à l'huile ou époxy pour appareils

Vous avez atteint le point où vous pouvez maintenant préparer vos propres couleurs de peinture et de glacis. Vous êtes sur le point de découvrir une des récompenses qu'offre la peinture décorative : la satisfaction de pouvoir créer ses propres couleurs de peinture et glacis.

Mélanger peintures et glacis

Tel que mentionné précédemment, il est possible de créer de jolis finis avec des peintures commerciales choisies à partir des échantillons de couleur des fabricants. Vous pouvez vous en remettre à ces peintures, surtout si vous êtes un débutant ; ces peintures courantes se présentent dans une variété infinie de couleurs consistantes, qui sont faciles d'application, économiques et parfaites pour les couches de base et les glacis. Mais rien ne vaut la satisfaction de créer ses propres mélanges pour donner à son décor des teintes subtiles et originales.

Un mélange commercial de glacis a été utilisé pour doner une couleur parfaite à mur de cuisine. L'habileté que requiert ce procédé vient avec l'expérience.

Ce chapitre vous apprend les étapes à suivre pour créer vos propres couleurs, mais il n'y a qu'une façon d'apprivoiser cette tâche, c'est en comme dans tout, il faut le faire pour apprendre. Plus vous en ferez, plus vous en apprendrez sur les couleurs, les valeurs, les intensités, les proportions et l'influence qu'elles ont entre elles. Vous n'en saurez jamais trop sur ce sujet complexe. Mais en très peu de temps, vous développerez un instinct pour trouver les nuances qui produiront cette couleur exacte que vous souhaitez pour votre couche de base ou votre glacis. Continuez à faire des expériences de mélange de couleurs jusqu'à ce que vous ayez atteint la bonne couleur.

La palette des couleurs de base

Il y a 14 couleurs de base que vous pouvez utiliser pour produire à peu près toutes les nuances qu'il vous faut. Évidemment, il y en a bien davantage - plus de 500 - si vous considérez tout ce qu'on trouve dans toutes les gammes de colorants. Toutefois, ces 14 couleurs sont les plus courantes et leurs noms sont standardisés pour tous les finis de peinture décorative : colorants universels, peinture acrylique et à l'huile pour artistes, couleurs japonaises. Commencez avec ces 14 couleurs et ajoutez-en d'autres au fur à mesure que vos projets prendront de l'envergure.

Les 14 couleurs de base

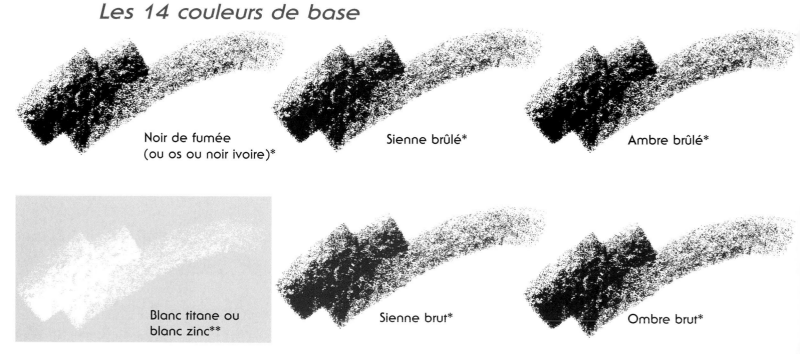

Noir de fumée
(ou os ou noir ivoire)*

Sienne brûlé*

Ambre brûlé*

Blanc titane ou
blanc zinc**

Sienne brut*

Ombre brut*

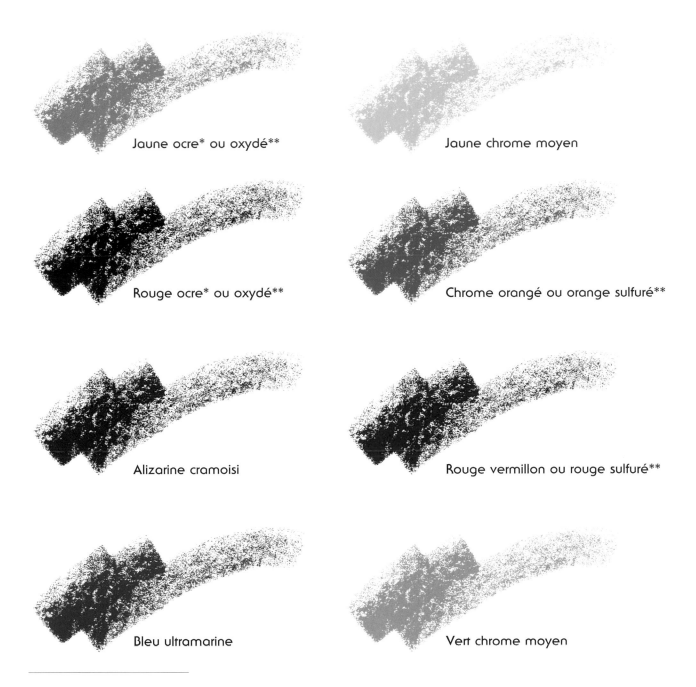

Jaune ocre* ou oxydé**

Jaune chrome moyen

Rouge ocre* ou oxydé**

Chrome orangé ou orange sulfuré**

Alizarine cramoisi

Rouge vermillon ou rouge sulfuré**

Bleu ultramarine

Vert chrome moyen

*Ce sont les couleurs indigènes de base qui permettent facilement de neutraliser ou d'adoucir les couleurs. (Voir « Intensité », page 25.)

**Sensiblement la même couleur, le premier pigment mentionné étant le moins cher des deux.

Notez que toutes ces couleurs ont des valeurs intermédiaires. Il est plus économique d'utiliser des valeurs intermédiaires parce qu'elles peuvent être utilisées dans plusieurs projets et sont plus faciles à pâlir ou à foncer en ajoutant seulement un soupçon de peinture.

Peintures

L'art de mélanger les couleurs

À l'instar des grands chefs qui utilisent leurs connaissances des goûts pour ajouter telle ou telle épice destinée à rehausser un plat, les peintres décorateurs professionnels utilisent leurs yeux pour jauger la quantité de chaque colorant dont ils ont besoin pour obtenir une couleur ou une nuance précise. Avec de l'entraînement, vous apprendrez à faire pareil. Ne prenez pas la peine de mesurer, mélangez plutôt la peinture sur une palette, en ajoutant le colorant ou le glacis goutte à goutte, et observez au fur et à mesure la couleur se développer. Allez-y très lentement, car tout à coup la couleur exacte que vous souhaitez apparaîtra. Une goutte de trop et vous êtes allé trop loin. En peu de temps, vous découvrirez et vous rappellerez la quantité exacte de chaque couleur qu'il faut pour arriver à la couleur voulue. Avec le temps, vous aurez acquis suffisamment d'expérience pour ajouter tout le colorant d'un seul coup.

En cours de route, prenez note de chaque détail pour chaque projet. Indiquez le nombre de gouttes de chaque colorant utilisées pour chaque couleur obtenue. Sur une planchette, faites un échantillon de chaque couleur. Étiquetez chaque contenant de restes de peinture ainsi que votre planchette, en inscrivant le nombre de gouttes de chaque colorant utilisé. Cela vous facilitera la tâche quand vous aurez besoin de refaire la couleur pour faire des retouches. Si ultérieurement, vous voulez reproduire la couleur, vous n'aurez aucun problème. Il vous sera plus facile de conserver vos dossiers en ordre si vous avez mis au point un système d'abréviations pour les noms des colorants. Les abréviations commerciales des colorants concentrés sont plutôt compliquées, comportant des chiffres et des lettres. Créez votre propre système et qu'il soit simple. Par exemple, NF pour noir de fumée, AB pour ambre brûlé, ainsi de suite.

Plus vous en faites, plus vous en saurez sur les combinaisons de couleurs. Vous remarquerez par exemple qu'il y a une légère variation entre les colorants qui portent le même nom, mais qui sont fabriqués par des compagnies différentes. Vous apprendrez à tenir compte de ces nuances. Vous découvrirez également que certaines couleurs n'ont besoin que de petites quantités pour donner des nuances profondes ou brillantes, alors que d'autres en demandent davantage pour le même résultat. Par exemple, plusieurs gouttes de bleu modifient rapidement et facilement une base, tandis qu'il faut beaucoup plus de jaune pour obtenir un effet similaire.

PIGMENTS ET SÉCURITÉ

Certains des pigments sont considérés comme toxiques et doivent être manipulés avec beaucoup de précautions. L'intoxication survient quand vous avez inhalé ou ingéré une peinture contenant ces pigments. Les pigments hautement toxiques comprennent l'ambre brut ou brûlé, le rouge et l'orangé sulfurés, le vert jaune et l'orange chrome, et le rouge vermillon. L'alizarine cramoisie, le noir de fumée et le blanc zinc sont légèrement toxiques. Quand vous utilisez ces peintures, évitez de manger, de boire ou de fumer, utilisez un respirateur quand vous poncez ou mélangez des pigments séchés, et n'utilisez jamais d'ustensiles de cuisine pour mélanger la peinture.

RÉDUIRE L'INTENSITÉ AVEC DES COULEURS INDIGÈNES

Nom : Jaune ocre

Couleur : Jaune terne moyen

Effets : Réduit l'intensité du jaune pur, neutralise le mauve et le rouge-mauve, ajoute du jaune au vert et atténue son intensité, fait tourner les noir au vert et réchauffe d'autres couleurs.

Nom : Sienne brut

Couleur : Jaune-orangé terne moyen

Effets : Ajoute un rose orangé aux couleurs, incluant le blanc, atténue l'intensité du jaune et neutralise le bleu et le violet.

Nom : Sienne brûlé

Couleur : Rouge-orangé foncé

Effets : Neutralise le bleu, le bleu-vert et le vert et donne aux autres couleurs un éclat rouge-orangé chaud.

Nom : Ombre brut

Couleur : Valeur foncée de gris / brun sur base de vert

Effets : La plupart des couleurs deviennent plus grises et plus foncées, neutralise le rouge et le rouge-violet, ajoute du vert aux autres couleurs et donne un très beau gris quand il est mélangé au blanc ou au noir.

Nom : Ambre brûlé

Couleur : Brun rougeâtre foncé

Effets : Neutralise le bleu, donne une gris chaleureux quand il est mélangé au blanc ou au noir, et fonce les autres couleurs en leur apportant de la chaleur.

Nom : Noir de fumée

Couleur : La valeur la plus foncée des couleurs indigènes, contient du bleu, une couleur froide

Effets : Refroidit et fonce toutes les couleurs, neutralise les orangé, rouge-orangé et jaune-orangé.

En vous référant aux inditations sur « l'intensité » de la page 25, vous verrez qu'il est possible d'atténuer l'intensité d'une couleur trop brillante en ajoutant très peu d'une couleur complémentaire ou indigène. N'utilisez le noir qu'en dernière ressource. Il est vrai que le noir atténue l'intensité d'une couleur, mais il peut également la rendre trouble et terne.

À chaque projet, prenez le temps d'expérimenter avec des restes de peinture l'effet que donnent les couleurs complémentaires, les complémentaires divisées et les couleurs indigènes pour atténuer l'intensité. Faites la même chose avec le blanc et le noir pour modifier leur valeurs. Prenez par exemple un bleu éclatant et voyez ce qui arrive si vous ajoutez un peu d'orangé, son complément : un peu de rouge-orangé et de jaune-orangé, ses complémentaires divisées ; et un peu de sienne brûlé. Sienne brûlé est une valeur plus sombre que rouge-orangé, atténuant l'intensité du bleu aussi efficacement que les couleurs complémentaires et les complémentaires divisées, et donnant un plus grand éventail de couleurs intéressantes.

FABRICATION D'ÉCHANTILLONS

Utilisez des planches de bois de 3 mm (^{1}/8 po) d'épaisseur doux sur les deux côtés. Une planche de 45 x 60 cm (18 x 24 po) constitue une surface de travail convenable. Appliquez sur le dessus le même apprêt que vous utiliserez pour la surface que vous voulez peindre. Une fois sec, appliquez la couche de base. Quand elle est sèche, inscrivez sur le dessous de la planche toutes les informations pertinentes, incluant le nombre de gouttes de colorant utilisées pour créer la couleur de la couche de base. Vous avez maintenant un échantillon de cette couleur. Avec le temps, vous aurez une impressionnante collection d'échantillons.

Il existe deux façons de faire des planches d'échantillons pour des techniques décoratives déterminées. La première est de prendre une planche et d'y appliquer les couches en les superposant jusqu'à la couche finale. En inscrivant soigneusement les détails de chaque étape.

L'autre façon consiste à faire une planche différente pour chaque étape en commencent par la couche de base. Appliquez un apprêt et une couche de base sur chaque planche. Conservez une planche pour l'échantillon de couche de base. Ensuite, comme dans un jeu de solitaire, exécutez la première étape sur chaque planche qui reste, prenez la troisième planche et exécutez la seconde étape sur chaque planche qui reste et ainsi de suite jusqu'à ce que la dernière planche restante présente le fini. Encore une fois, inscrivez soigneusement à l'arrière de chaque planche les détails de l'opération. (Voir page suivante)

Comme vous commencez avec une couche de base, suivez la règle du 20%. Cette règle stipule qu'un colorant ne doit constituer pas plus de 10 à 20% de la couche de base blanche ou blanc cassé. Si vous avez besoin de plus que 20% d'un colorant pour atteindre la couleur désirée, achetez une peinture commerciale dont la couleur s'approche le plus de celle que vous tentez d'obtenir et modifiez-la légèrement. Par exemple, vous réaliserez qu'il est impossible de mélanger un rouge pur, un jaune pur ou un bleu pur dans une couche de base blanche en suivant la règle du 20%, car il en faut davantage pour y arriver. C'est pourquoi il est plus sage d'acheter un rouge, un jaune ou un bleu pré-mélangé chez le marchand et d'y apporter ensuite les correctifs nécessaires.

Ces principes s'appliquent également aux mélanges de glacis, mais comme c'est un moyen différent, il faut des ajustements. Les glacis sont transparents, voilà la différence. Il en résulte que vous aurez besoin de très peu de colorant pour obtenir la bonne nuance. La règle à suivre pour les glacis consiste à ajouter une portion de colorant pour obtenir un glacis translucide et moins d'une portion pour un glacis transparent. À titre d'exemple, il suffit de deux ou trois gouttes de colorant pour obtenir la couleur désirée sur un glacis délavé transparent.

Demandez une carte de mélange de couleurs à votre marchand de matériel d'artiste, elle contient des informations techniques très utiles sur la permanence, la translucidité et le coût. Le degré de translucidité est important parce qu'il indique quelles couleurs font des glacis transparents.

Prenez en compte également le prix. Celui-ci est directement relié à la qualité, qui se situe à différents échelons. Parce que la peinture n'est habituellement qu'une petite partie d'un budget de rénovation, il est économiquement rentable d'acheter la meilleure qualité que vous pouvez vous offrir. Des couleurs différentes dans une même gamme peuvent varier de prix. La carte de mélange des couleurs indique des possibilités de substituts très économiques, telle l'utilisation du jaune chrome à la place du jaune sulfuré.

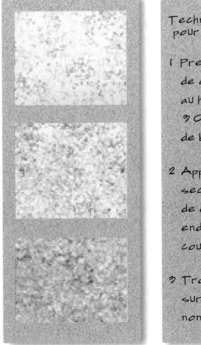

Technique à l'éponge pour salle de bains

1 Première couche de glacis épongée au hasard, couvre 30% de la couche de base.

2 Application d'une seconde couche de glacis sur les endroits non couverts.

3 Troixième glacis sur les endroits non couverts.

Les planches d'échantillons *indiquant les étapes de la technique sont d'excellentes références.*

Mélanger une couche de base

La plupart des couches de base sont de couleur claire ou pâle. Elles sont habituellement constituées de 80 à 90% de peinture blanche, avec un ou des colorants. Une partie du secret pour réussir la bonne couleur de base consiste à choisir le bon ton de blanc. La plupart des fabricants en fournissent au moins trois : blanc froid, blanc pur et blanc chaud. Plusieurs fabricants offrent un éventail plus large. L'un d'entre eux en offre 61 versions. Choisissez votre nuance selon que vous désirez une couleur finale chaude, froide ou pure.

Suivez ces trois lignes de conduite si la couche de base est au latex ou à l'huile :

Pour une petite quantité, moins que 4 litres, ce qui est suffisant pour couvrir une chaise, achetez la quantité nécessaire et versez-en 250 ml (1 tasse) dans un petit contenant. Teintez de la couleur désirée. Notez bien la quantité de colorant ajouté afin de pouvoir reproduire l'opération plus tard. Appliquez votre échantillon et séchez-le au sèche-cheveux électrique. Si la couleur convient, une fois sèche, versez les restes de votre peinture dans un autre contenant et, en vous référant à votre recette, teintez les reste de la peinture. Si vous n'aimez pas la couleur, travaillez votre recette jusqu'à ce que vous ayez trouvé la bonne couleur.

Pour une grosse quantité, suffisamment pour couvrir une pièce entière, ce qui prendra plusieurs gallons, simplifiez-vous la tâche en achetant d'abord un demi-litre de peinture blanche que vous verserez dans plusieurs petits contenants, dans lesquels vous ferez vos essais de couleurs. Inscrivez toutes vos recettes. Faites un échantillon

1   Directement à partir du contenant, remplissez la moitié d'un petit contenant de couche de base.

2   Teintez la peinture avec le colorant approprié (voir page précédente). Ajoutez directement le colorant dans la peinture, une goutte à la fois. Mélangez après chaque goutte avec une baguette à mélanger ou une spatule, afin que le colorant se diffuse complètement dans la peinture. Faites un échantillon après chaque mélange et séchez au sèche-cheveux pour vérifier la couleur. Rappelez-vous que la peinture au latex devient plus foncée en séchant et que la peinture à l'huile reste à peu près la même une fois sèche.

3   *Poursuivez vos essais et vos mélanges jusqu'à ce que vous ayez obtenu le résultat escompté, puis faites un échantillon en y inscrivant la recette. Con servez la recette dans vos dossiers. Utilisez la recette pour mélanger votre grosse quantité de peinture.*

MÉLANGE DES COULEURS

GENRES DE PEINTURE	GENRES DE COLORANT
Couche de base au latex	Latex pré-mélangé
	Acrylique d'artiste
	Colorants universels (environ 10%)
	Caséine ou détrempe
Couche de base à l'huile	Latex pré-mélangé
	Colorants universels (environ 10%)
	Huiles d'artiste
	Couleurs japonaises

de la couleur dont vous vous servirez pour comparer avec les échantillons des fabricants. Si vous êtes chanceux, vous trouverez la couleur parfaite. Sinon, pas de panique. Rapprochez-vous le plus possible de votre couleur, vous rectifierez à la maison. Faites mélanger la couleur au comptoir de peinture et prenez la quantité dont vous aurez besoin.

Si cette peinture pré-mélangée nécessite une modification, versez-en 250 ml (1 tasse) dans un petit contenant (étape 1). Utilisez vos colorants et trouvez la couleur exacte que vous désirez (étape 2). Prenez soin de bien la mélanger (étape 3). Prenez bien note des colorants et quantités utilisés.

Versez tous les contenants de peinture dans un grand seau. En suivant votre recette et en vous basant sur votre échantillon, ajustez la couleur avec les colorants. Ajoutez votre échantillon à cette gigantesque mixture et mélangez en profondeur. Quand vous aurez obtenu la couleur voulue, transvidez la peinture dans les contenants d'origine et refermez hermétiquement à l'aide d'un maillet de caoutchouc ou d'un marteau et d'une planchette.

Pour éviter d'emprisonner la peinture dans les rebords du contenant, poinçonnez de petits trous au fond du rebord avant de remplir le contenant. Une fois remplis attendez quelques minutes pour que les rebords s'égouttent dans le contenant avant de sceller le couvercle.

Glacis et délavés

Mélanger un délavé

Pour faire un délavé, utilisez la technique de mélange des pages 114-115 et diluez la peinture au latex ou l'acrylique d'artiste avec de l'eau. La recette de base est une partie de colorant pour deux parties d'eau, mais l'eau peut constituer jusqu'à 90% du mélange.

Mélanger un glacis

Tous les glacis partent de cette recette de base : quantités égales de colorant, de vernis et du diluant approprié. Le colorant peut contenir différentes quantités de plusieurs intensités pour obtenir le résultat escompté, mais la totalité combinée de ces nuances ne doit jamais excéder la quantité de colorant exigée dans la recette. Les recettes particulières de glacis apparaissent dans les instructions de chaque technique de « Les techniques de peinture décorative », chapitres 6 à 15, commençant à la page 125. Avant de commencer à préparer un glacis, revoyez les recettes pour chaque technique.

Rappelez-vous que chaque recette est un guide, pas une loi. Comme une recette culinaire que vous adaptez à vos goûts et à un style de cuisson, vous pouvez adapter les recettes présentées pour atteindre la transparence et l'épaisseur que vous désirez. Le solvant, qu'il soit à base d'huile ou d'eau, fait toute la différence dans une recette de glacis. Les quantités de colorant et de vernis sont habituellement égales. Comme dans toute chose, il y a cependant des exceptions à cette règle. Elles sont indiquées dans chaque recette, comme il se doit.

Une fois le glacis mélangé, vérifiez sa consistance. Elle doit être liquide comme du lait, sans pour autant s'écouler d'une spatule qu'on y aurait trempée, puis ressortie à un angle de 45 degrés. Vérifiez également le vernis sur une planche enduite de la couche de base. Vous n'avez besoin que d'une planche d'échantillon pour les tests. Si le vernis n'est pas suffisamment visqueux, essuyez-le avec un chiffon propre et réajustez. Au besoin, essuyez la planche échantillon avec un autre chiffon enduit d'eau ou de solvant minéral.

Vous avez deux gros défis à relever quand vous mélangez un glacis : atteindre la bonne qualité de transparence et obtenir la bonne consistance ou épaisseur. Le glacis est l'exemple classique du dicton « trop c'est comme pas assez » : vous avez besoin de très peu de peinture ou de colorant pour colorer un glacis. Moins vous ajoutez de couleur, plus transparent sera le glacis.

Pour mélanger un glacis, il est préférable d'avoir la bonne couleur en partant. Ensuite, vous la mélangez au vernis combiné avec le diluant. Les glacis ont une vie assez courte, environ 10 jours. Si vous voulez conserver un glacis plus longtemps, arrêtez le procédé après avoir mélangé le colorant au vernis et entreposez cette mixture dans un contenant fermé hermétiquement. Ajoutez le diluant seulement quand vous êtes prêt à utiliser la mixture finale.

Pour rendre le glacis plus translucide, utilisez une de ces méthodes :

- Pour obtenir une légère modification, ajoutez plus de diluant et de vernis, n'en abusez pas, le glacis pourrait être trop mince.

- Pour un changement plus important, ajoutez plus de vernis et plus de diluant dans les mêmes proportions que pour le glacis original.

- Mélangez un nouveau glacis en utilisant moins de colorant.

Pour diluer un glacis trop épais, ajoutez plus de diluant, un peu à la fois pour ne pas abuser. Un glacis coulant est très difficile à appliquer, surtout sur une surface verticale. Testez votre mélange jusqu'à l'obtention d'une bonne consistance.

Épaissir un glacis est beaucoup plus compliqué. Repartir de zéro demeure la solution la plus simple, mais si vous avez une grosse quantité de glacis que vous ne voulez pas perdre, laissez-le reposer à découvert jusqu'à ce que le diluant soit évaporé. Cela peut prendre 12 heures et plus. Si une pellicule se forme en surface, passez le mélange à travers une étamine.

Il existe plusieurs glacis pré-mélangés sur le marché. Il en existe une grande variété, des plus visqueux aux plus translucides. Essayez-les tous et choisissez la sorte qui convient à vos besoins.

Mélanger un glacis au latex

Dans un contenant propre, mélangez votre colorant à un acrylique transparent ou un vernis au latex. Utilisez une peinture au latex pré-mélangée, un colorant universel ou de l'acrylique d'artiste comme colorant. Quand le mélange est complet, transvidez-le dans un plus grand contenant et ajoutez de l'eau graduellement jusqu'à l'obtention de la consistance désirée. Comme autre possibilité, quand vous mélangez de grandes quantités, ajoutez directement le colorant dans le contenant de glacis et mélangez en profondeur. Ensuite, versez la mixture colorée dans un plus grand contenant et ajoutez lentement l'eau pour atteindre la bonne consistance.

Peu importe la méthode utilisée pour mixer le glacis, poursuivez vos essais sur la planche échantillon et rectifiez tant que vous ne serez pas satisfait. Couvrez toujours le glacis et notez la recette dans votre carnet. Si vous craignez que le glacis ne sèche trop rapidement, ajoutez un retardateur juste avant l'application.

Un colorant doit être mélangé en profondeur avec le glacis. Avant d'appliquer un glacis sur ce mur, l'artiste Lucianna Samu a testé la couleur et y a apporté les correctifs nécessaires.

1 *Étalez la palette à plat sur une surface stable. Versez un peu de colorant sur le rebord. Si le colorant contient plus d'une teinte, étalez les différentes couleurs tout autour du rebord, comme l'illustration l'indique. Versez le glacis transparent au milieu de la palette. Si vous mé-langez les couleurs pour une grosse quantité de glacis, oubliez le vernis.*

MÉLANGER SUR UNE PALETTE

Certains peintres décorateurs aiment utiliser une palette pour mélanger les colorants avec le glacis. Ils utilisent également cette méthode pour mélanger différents colorants afin d'obtenir la nuance pour une grande quantité de glacis. Suivez les étapes de la page précédente et ci-dessous pour apprendre la technique.

RECETTE

GLACIS DE BASE AU LATEX

- 1 portion de peinture au latex commerciale pré-mélangée, d'acrylique d'artiste ou de colorant universel mélangé dans la peinture blanche au latex

- 1 portion de gel acrylique ou de vernis liquide au latex

- 1 portion d'eau

2 *Étalez le ou les colorants vers le glacis en mélangeant les ingrédients à l'aide d'une spatule pour obtenir la bonne couleur. Faites-la plus foncée que la couleur désirée, car la couleur va pâlir avec l'ajout de solvant. Si vous préparez une grosse quantité de glacis, mélangez d'abord les couleurs ensemble, ensuite ajoutez le vernis.*

3 *Raclez le glacis coloré de la palette et déposez-le dans un contenant. Ajoutez délicatement le diluant en brassant entre chaque ajout, jusqu'à ce que vous ayez obtenu l'épaisseur désirée. Couvrez le contenant et agitez vigoureusement. Testez le glacis sur votre planche échantillon. Appor-tez les correctif souhaités. Couvrez toujours le glacis et notez la recette dans votre carnet.*

Mélanger un glacis à l'huile

Pour faire un glacis à l'huile, mélangez une peinture à l'huile pré-mélangée du commerce, un colorant universel, une peinture à l'huile d'artiste ou une couleur japonaise avec du vernis à l'huile et du solvant minéral. Plusieurs peintres décorateurs préfèrerent la peinture à l'huile pré-mélangée et les couleurs des échantillons des fabricants parce que ces couleurs sont consistantes, se reproduisent facilement et sont plus économiques. Leur utilisation fait gagner du temps et épargne du travail. Vous pouvez également mélanger vos propres couleurs en colorant de la peinture à l'huile blanche avec des colorants universels, de la peinture à l'huile d'artiste ou des couleurs japonaises.

Mesurez et versez une petite portion de vernis dans un petit contenant. Ajoutez la coloration goutte à goutte et brassez avec un bâton à mélanger jusqu'à ce que le colorant soit complètement diffus. Faites la couleur légèrement plus foncée que la teinte finale parce que le solvant pâlit les couleurs.

Une fois la couleur souhaitée obtenue, incorporez le solvant minéral jusqu'à consistance désirée. Vérifiez le résultat sur votre planche échantillon, laissez sécher et apportez les correctifs nécessaires. Couvrez toujours le glacis et notez la recette dans votre carnet.

Si vous voulez mélanger votre propre vernis, à l'ancienne, faites bouillir de l'huile de lin dans une égale quantité de térébenthine ou de solvant minéral, et quelques gouttes d'un siccatif ou sécheur (comme un sécheur térébène ou stanaté cobalt).

À cause de son haut taux de solvant, un glacis à l'huile a une vie limitée et vous ne pouvez guère le conserver plus de 10 jours après avoir ajouté le solvant minéral. Si vous devez garder le glacis plus longtemps, mélangez seulement le colorant et le vernis, couvrez et rangez. Vous ajouterez le solvant minéral plus tard, quand vous serez prêt à l'utiliser.

R E C E T T E

GLACIS DE BASE À L'HUILE

- 1 portion de peinture à l'huile du commerce pré-mélangée, de colorant universel, de peinture d'artiste ou de couleur japonaise mélangé dans la peinture à l'huile blanche
- 1 portion de vernis liquide à l'huile
- 1 portion de solvant minéral

Certaines techniques nécessitent un glacis plus léger, appelé 50% glacis. Pour le fabriquer, utilisez le vernis à l'huile de base et ajoutez une autre portion de solvant minéral, ce qui augmentera la portion de solvant à 50%.

Fabriquer et utiliser une surcouche de glacis

Il arrive que certains finis décoratifs requièrent une surcouche de glacis comme touche finale. C'est une mince couche de glacis qui contient quatre fois plus de solvant qu'un glacis normal. Vous pouvez utiliser votre glacis original et le diluer, ou en refaire un nouveau d'une autre couleur pour adoucir le fini existant en ajoutant un soupçon de couleur, plus subtile.

Parce que ces deux glacis sont transparents, ils donneront l'impression de se fondre en une troisième couleur ; une surcouche de bleu pâle fera paraître le glacis jaune du dessous légèrement vert.

RECETTE

SURCOUCHE DE GLACIS DE BASE

- 1 portion de peinture commerciale de couleur, au latex ou à l'huile pré-mélangée ou de peinture blanche au latex ou à l'huile colorée avec les colorants appropriés

- 1 portion de vernis au latex ou à l'huile, selon le cas

- 4 portions du diluant approprié

Une surcouche de glacis *peut adoucir le fini d'une surface, comme si on y avait ajouté un léger voile. Un vert tendre peut être créé en appliquant une surcouche de bleu pâle sur un glacis jaune.*

Application du glacis

Il y a deux façons d'appliquer un glacis sur une peinture de base :

- La technique positive consiste à appliquer le glacis sur la surface à petits coups au hasard à l'aide d'une éponge, d'un chiffon ou d'un pinceau.

- La technique négative consiste à appliquer le glacis sur toute la surface pour ensuite en enlever des parties avec un peigne à nervures.

La technique positive est la plus facile, car le glacis est appliqué directement sur la couche de base. Avec cette méthode, il se peut qu'il faille appliquer plusieurs couches de glacis. Chaque couche doit sécher entre les applications, mais rien ne presse. Ce n'est pas la peine de se précipiter, une personne seule peut réussir facilement.

La technique négative est vraiment plus audacieuse, parce que le glacis doit recouvrir toute la surface avant d'être retiré partiellement. Ce qui signifie que vous devrez travailler avec un glacis encore mouillé.

Utiliser une éponge *pour étaler le glacis au hasard donne aux murs un aspect texturé.*

Il reste mouillé très peu de temps en fait, et plus la météo annonce chaud et sec, plus la surface séchera rapidement. Vous avez de 10 à 25 minutes de jeu avec les glacis à l'huile et seulement 8 à 12 minutes avec les glacis au latex. (Ajouter un gel retardateur au glacis au latex retardera le temps de séchage ; c'est très utile si vous débutez ou travaillez seul.) Durant ce temps, vous pouvez faire ce que vous voulez avec le glacis, le retravailler, y ajouter une touche, l'adoucir ou le réparer. Une fois le temps écoulé, vous avez atteint le point de non-retour, le glacis a commencé à se fixer. À ce moment, tout ce que vous feriez au glacis ne

pourrait que l'endommager. Mais vous avez quand même le temps de l'enlever et de repartir de zéro si vous le souhaitez.

Un glacis à l'huile commence à se fixer au bout de 20 à 35 minutes, tandis qu'il faut 10 à 20 minutes pour le glacis au latex. À ce moment, le glacis sera sec au toucher et il vous sera peut-être possible de l'enlever, mais ce sera difficile. Pour éviter les problèmes, il est préférable de ne pas lambiner.

Les techniques négatives compliquées, particulièrement sur les grandes surface, exigent deux personnes pour le travail. Pendant que la première applique le glacis en panneaux de 60 à 90 cm (2 - 3 pi) de largeur, la seconde la suit en appliquant la technique négative. Les deux doivent travailler rapidement. Faites des expériences avant de commencer afin de déterminer quelle grandeur de section vous pouvez traiter à la fois et à quel rythme vous travaillez en tandem.

Quand vous appliquez un glacis sur tous les murs d'une pièce, il est préférable de traiter les murs opposés en premier et de les laisser sécher avant d'entreprendre les autres murs.

La quantité de glacis que vous retirez détermine la quantité de couleur de la couche de base qui sera visible. Une épaisse couche de glacis rend une surface opaque ou unie, soit une texture qui cachera en bonne partie la couche de base. Au contraire, enlever beaucoup de glacis crée une ouverture, une transparence dans la texture qui fait ressortir la couleur de la couche de base. Vous pouvez également obtenir cette impression d'ouverture en appliquant moins de glacis au départ, en passant et en repassant votre outil suppresseur, ou encore en pressant fortement l'outil en un seul mouvement.

Plusieurs facteurs peuvent influencer les résultats de votre projet. (voir *Résoudre les problèmes de glacis*, page 124). Ce qui suit est particulièrement important pour obtenir de bons résultats :

- Veillez à ce que le glacis conserve toujours une consistance uniforme. Le diluant, en particulier le solvant minéral, peut s'évaporer pendant que vous travaillez.

- Utilisez des instruments propres et en bon état afin de pouvoir enlever le glacis uniformément. Quand votre outil s'incruste de glacis, il n'est plus performant. Vous le nettoyez ou le remplacez.

- Exercez une pression uniforme, faites des gestes réguliers afin d'obtenir un fini lisse.

RÉSOUDRE LES PROBLÈMES DE GLACIS

PROBLÈMES	CAUSES	SOLUTIONS
1. Le glacis s'affaisse sur une surface verticale.	A. Glacis trop mince B. Base trop reluisante	Enlever le glacis, épaissir et appliquer à nouveau.
2. Le glacis s'affaisse sur une surface horizontale.	Même chose que 1	Même chose que 1
3. Glacis trop sec	A. Trop petite quantité appliquée B. Vous en avez trop enlevé.	Enlever le glacis et appliquer à nouveau
4. Trous dans le glacis	Pression inégale sur l'outil	Retravailler le glacis humide, estomper le nouveau glacis si l'ancien est sec
5. Coins et rebords couverts de taches	Même chose que 4	Même chose que 4
6. Coins et rebords trop clairs	Même chose que 4	Même chose que 4
7. Points foncés sur la surface du glacis	A. Pression inégale sur l'outil B. Trop de glacis C. Pas assez de glacis D. Outils sales	A. Assombrir autour des taches B. Appliquer une surcouche de glacis C. Ajouter un soupçon de glacis D. Nettoyer souvent les outils
8. Imperfections sur les surfaces Rendues plus évidentes par le glacis	Surface non ou mal recouverte d'un apprêt ou d'un scellant	A. Appliquer une surcouche de glacis B. Laisser sécher le glacis ; assombrir légèrement autour des imperfections
9. Le glacis devient graduellement plus foncé et moins transparent.	A. Le solvant s'est évaporé. B. Trop peu de glacis enlevé	A. S'il est mouillé, diluer le glacis à la bonne épaisseur, laisser sécher, enlever et appliquer à nouveau B. S'il est sec, enlever le glacis avec solvant et appliquer à nouveau
10. Glacis trop sec ou ne tient pas les rebords mouillés.	A. Le solvant s'est évaporé. B. Travail sur de trop grandes surfaces en une fois C. Couche de base non appropriée	A. Rééquilibrer les proportions glacis / solvant B. Ajouter le retardateur pour ralentir le temps de séchage ou imprégner la surface avec un solvant pour allonger le temps de travail C. Travailler une plus petite surface
11. Rebords humides plus foncés en séchant	Glacis appliqué sur rebords humides pas prêts	A. Si c'est humide, retirer et appliquer à nouveau B. Si c'est sec, appliquer une surcouche C. Ajouter le glacis au hasard autour des lignes, modeler pour les dissimuler

DEUXIÈME PARTIE

Les techniques de peinture décorative

Les travaux à l'éponge sont un bon début pour explorer les techniques particulière à la peinture décorative et à toutes leurs variations. Commencer avec les travaux à l'éponge semble logique, puisque c'est la méthode la plus facile et la plus universelle des techniques de peinture décorative. C'est également la plus épuisante, surtout si vous décorez une grande surface, comme tous les murs d'une pièce. Vos mains vont parcourir ces murs centimètre par centimètre et plusieurs fois avant que vous ayez terminé le travail. Pensez-y avant d'entreprendre quoi que ce soit.

Travaux à l'éponge

Cela ne diminue en rien la beauté de cette technique. L'éponge produit un fini pommelé, un subtil jeu de couleur qui oscille entre le délicat et le souligné. Mais le résultat éblouissant en vaut l'effort. Tout dépend des couleurs que vous choisissez, de la transparence et de l'éclat de votre glacis, et de l'épaisseur qui recouvrira la surface.

Une subtile variation de nuances crée un effet sophistiqué sur des murs traités à l'éponge.

Une éponge de mer comporte les irrégularités de texture requises pour créer un fini pommelé.

Vos débuts avec l'éponge vous permettent d'acquérir une habileté qui vous servira dans bon nombre de travaux, notamment mélanger peinture et glacis. Vous comprendrez mieux ce qu'est la peinture décorative et développerez la coordination entre vos yeux et vos mains.

Parce qu'il produit une texture qui a visuellement de la profondeur, le fini à l'éponge cache les imperfections des murs et camoufle les saletés incrustées, comme on en trouve dans les chambres d'enfant. C'est également une façon de rehausser l'apparence d'un meuble fait de bois bon marché.

Comme par hasard, cette technique porte le nom du seul outil nécessaire pour l'application du fini, soit une éponge. Mais pas n'importe quelle éponge ! Ce doit être une éponge naturelle, c'est-à-dire une éponge de mer. C'est la seule éponge de forme irrégulière et de surface inégale qui peut donner une texture mouchetée. On peut se procurer des éponges de mer de formes ronde ou aplatie dans les boutiques d'artisanat ou à un comptoir de peinture. La forme aplatie est bien appropriée à cette technique (utilisez toujours le côté plat, celui qui était attaché au rocher). Si vous ne trouvez pas d'éponge plate, utilisez une éponge ronde coupée. Si vous utilisez l'éponge correctement, vous ne verrez aucune différence entre les traits de peinture sur le mur.

Appliquez rapidement le glacis. Dans la plupart des cas, utilisez un latex à séchage rapide ou un glacis à l'acrylique. Si vous utilisez un glacis à base d'eau, corrigez immédiatement vos erreurs avec une éponge propre et de l'eau. Le glacis à l'huile à séchage plus lent fonctionne également très bien. Quel que soit le glacis, vous aurez besoin d'un chiffon humide. Trempez l'éponge dans l'eau claire et essorez-la jusqu'à ce qu'elle devienne humide mais pas mouillée.

Comme dans toutes les techniques de peinture décorative, les traits de peinture ne doivent pas être visibles une fois appliqués. Pour y parvenir, appliquez le glacis sur la couche de base de couleur assortie quand elle est complètement sèche.

Pour une application parfaite, tenez l'éponge à plat et, en faisant travailler vos poignets d'avant en arrière, épongez la peinture de façon éparse sur la surface du mur. Ne laissez pas l'éponge glisser ou traîner sur le glacis. Appliquez les coups d'éponge de façon qu'ils touchent légèrement l'application précédente et travaillez avec constance de bord en bord de la surface. Ne vous promenez pas dans la pièce en épongeant ici et là, les motifs seront inégaux. Faites un quart de tour avec l'éponge avant chaque application et tournez votre main de gauche à droite pour éviter de recréer la même forme. Pour éponger dans les coins, découpez un petit morceau d'éponge présentant une face plate.

Quand vous aurez terminé votre première couche, vous devriez voir apparaître 40% de la couche de base. La deuxième application à l'éponge va chevaucher la couche de base et une partie de la première application à l'éponge. Elle devrait maintenant recouvrir 40% du mur. Quand vous aurez terminé, il n'y paraîtra plus que 25% de la couleur de la couche de base.

Un travail efficace réduit au minimum le contraste de couleurs et met l'accent sur une subtile variation de tons d'une même nuance ou de glacis de plusieurs couleurs de la même famille appliqués sur un fond pâle. Quand vous aurez pris de l'expérience avec cette technique, essayez des combinaisons de couleurs plus spectaculaires. Plusieurs variantes sont proposées dans ce chapitre.

Travaux à l'éponge

- Application à l'éponge : deux couleurs

- Application à l'éponge : trois couleurs

- Application au hasard : quatre couleurs

- Essuyage à l'éponge : une couleur

Application à l'éponge : deux couleurs

C'est la technique de base. C'est la méthode positive ou additive, ce qui signifie que vous appliquez le glacis sur la couche de base (contrairement à l'autre technique) pour créer l'effet désiré.

Premièrement, la surface reçoit une couche de base claire. Une fois sèche, épongez des glacis de deux couleurs légèrement contrastées en employant la méthode décrite à la page précédente. Laissez sécher la première couche avant d'appliquer la seconde.

Dans l'exemple, on a choisi comme couche de base un blanc chaleureux, appliqué au rouleau. La première couche à l'éponge est un taupe moyen et la seconde, un beige doré profond. Des peintures au latex pré-mélangées ont servi de colorants, qui ont ensuite été mélangés à un glacis acrylique et à de l'eau pour donner un fini légèrement opaque, qui sèche rapidement. Si vous voulez un fini plus translucide, utilisez de l'acrylique d'artiste comme colorant. Si vous voulez augmenter le temps de séchage pour vous donner plus de temps pour travailler, ajoutez un gel retardateur à votre glacis.

Comment appliquer l'éponge avec deux couleurs

1 Mélangez le premier glacis avec la couleur désirée et à la consistance voulue. Versez une petite quantité dans le bac à peinture. Tenez l'éponge humide, le côté plat en dessous et trempez dans le glacis. Glissez délicatement l'éponge sur les sillons du bac afin d'étaler le glacis uniformément. Débarrassez-vous de l'excédent de glacis sur du papier journal pour éviter que votre premier coup contienne trop de glacis.

2 Épongez la surface tel que décrit dans l'introduction, pages 128-129. Évitez de produire un motif reconnaissable. Rechargez et déchargez l'éponge de glacis autant de fois que vous en aurez besoin. Cette première étape couvre 40 % de la couche de base. Laissez sécher le glacis.

3 Refaites l'étape 2 avec la seconde couleur, en épongeant pour couvrir à peu près 40 % du mur. Laissez sécher.

4 Le dernier fini laisse apparaître à peu près 25 % de la couche de base. Le chevauchement entre les endroits sombres et éclairés crée une illusion de profondeur et de texture. Remarquez comme les coups d'éponge sont indissociables les uns des autres.

VARIANTE : Utilisez cette méthode pour appliquer deux couches de glacis léger sur une couche de base foncée. Cela donne à la pièce un aspect théâtral. Assurez-vous de constamment varier l'angle de vos coups d'éponge. Les motifs répétitifs se remarquent davantage quand vous appliquez une mince couche de glacis sur une surface foncée.

PROCÉDÉ

APPLICATION À L'ÉPONGE : DEUX COULEURS
(Méthode positive 1)

NIVEAU D'HABILETÉ : débutant

RECOMMANDÉ POUR : surfaces plates, incluant planchers et plafonds. Recommandé pour les murs avec imperfections à cacher et endroits passants, comme les chambres d'enfant. Également bon pour les meubles sans relief ni garnitures élaborées

DÉCONSEILLÉ POUR : surfaces inégales, comportant des reliefs et des garnitures sophistiquées

PAIRES DE MAINS REQUISES : 1

INSTRUMENTS ET ACCESSOIRES : seaux de peinture, bâtons à mélanger, bac à peinture, éponges de mer, seau d'eau propre, vieux journaux, chiffons propres, gants

COUCHE DE BASE : peinture au latex

COLORANTS POUR GLACIS : peinture au latex coquille d'œuf, pré-mélangée, acrylique d'artiste, peinture à l'huile coquille d'œuf pré-mélangée ou colorants universels.

RECETTE DE GLACIS : pour glacis au latex : 1 portion de colorant, 1 portion de glacis au latex ou d'acrylique, 1 portion d'eau. Pour un glacis à l'huile : 1 portion de colorant, 1 portion de glacis à l'huile, 1 portion de solvant minéral.

SECTION DE TRAVAIL TYPE : surface ou mur de 60 cm (2 pi) de largeur

SURCOUCHE TRANSPARENTE : optionnelle

Application à l'éponge : trois couleurs

Cette technique donne un résultat plus dense que la précédente, ce qui permet de masquer davantage la couleur de la couche de fond. Utilisez trois glacis sur une couche de base claire pour obtenir ce fini. Dans cet exemple, les couleurs de glacis utilisées sont le taupe et le beige doré de la première méthode, avec un accent de terra-cota foncé. Ce sont des glacis légèrement opaques, faits à partir d'une égale quantité de peinture au latex prémélangée, de vernis acrylique et d'eau. Pour une apparence plus translucide, prenez de l'acrylique d'artiste pour peinture au latex.

RECOUVREMENT POURCENTAGES

Pourquoi le pourcentage de recouvrement n'égale-t-il pas 100 ? Voici comment cela fonctionne : si vous couvrez 40% de la couche de base, il en reste 60% de visible. Si vous ajoutez une seconde couche qui recouvre 40% de tout le mur, vous couvrirez 40% de la première couche et de la couche de base. Du 60% de couche de base qui apparaissait après la première application, seulement 60% de cette partie reste visible, soit à peu près 25% (0,6 X 0,6 = 0,24). Une troisième couche recouvrant 40% du mur laissera paraître 60% de cette fraction, soit 0,24 X 0,6 = 0,96, ou à peu près 10%.

Comment appliquer l'éponge avec trois couleurs

1 Mélangez le premier glacis avec la couleur désirée et à la consistance voulue. Versez une petite quantité dans le bac à peinture. Refermez le contenant pour ne pas en renverser. Tenez l'éponge humide, le côté plat en dessous et trempez dans le glacis. Glissez délicatement l'éponge sur les sillons du plateau afin d'étaler le glacis uniformément. Essuyez l'excédent de glacis sur du papier journal afin que votre premier coup d'éponge ne répande pas trop de glacis.

2 Épongez la surface tel que décrit dans l'introduction, pages 128-129. Évitez de produire un motif reconnaissable. Rechargez et déchargez l'éponge de glacis autant de fois que vous en aurez besoin. Cette première étape couvre 40% de la couche de base. Laissez sécher le glacis.

3
Refaites l'étape 2 avec la seconde couleur, en épongeant pour couvrir à peu près 40% du mur. Laissez sécher. Appliquez la troisième couleur en utilisant la même technique. Cela devrait couvrir 40% du mur. Laissez sécher.

4
Le dernier fini laisse apparaître à peu près 10% de la couche de base. Le chevauchement entre les endroits sombres et éclairés crée une illusion de profondeur et de texture. Notez comme les coups d'éponge sont indis-sociables les uns des autres.

PROCÉDÉ

APPLICATION À L'ÉPONGE : TROIS COULEURS
(Méthode positive 2)

NIVEAU D'HABILETÉ : débutant à intermédiaire

RECOMMANDÉ POUR : surfaces plates, incluant planchers et plafonds. Recommandé pour les murs avec imperfections à cacher et endroits passants, comme les chambres d'enfant. Fonctionne également bien sur les meubles sans moulures complexes

DÉCONSEILLÉ POUR : surfaces inégales, comportant des reliefs et des garnitures sophistiquées

PAIRES DE MAINS REQUISES : 1

INSTRUMENTS ET ACCESSOIRES : seaux de peinture, bâtons à mélanger, bac à peinture, éponges de mer, seau d'eau propre, vieux journaux, chiffons propres, gants

COUCHE DE BASE : peinture au latex

COLORANTS POUR GLACIS : peinture au latex coquille d'œuf pré-mélangée, acrylique d'artistes, peinture à l'huile coquille d'œuf pré-mélangée ou colorants universels.

RECETTE DE GLACIS : pour glacis au latex : 1 portion de colorant, 1 portion de glacis au latex ou d'acrylique, 1 portion d'eau. Pour un glacis à l'huile : 1 portion de colorant, 1 portion de glacis à l'huile, 1 portion de solvant minéral.

SECTION DE TRAVAIL TYPE : Surface ou mur de 60 cm (2 pi) de largeur.

SURCOUCHE TRANSPARENTE : optionnelle

Application au hasard : quatre couleurs

Cette méthode implique une technique légèrement différente, appelée *au hasard* à cause du côté éparpillé des coups d'éponge. Il en résulte une texture plus diffuse, plus floue et plus proche de ce qu'on obtient avec la technique du délavé. Elle est très loin des deux premières techniques à l'éponge, qui donnaient une texture très serrée. Celle-ci demande plutôt que vous traîniez votre éponge légèrement pour rendre la surface plus rugueuse ; vous devez mélanger les couleurs à chaque coup d'éponge. Éponger au hasard crée des finis colorés, qui sont particulièrement appropriés pour les portes, les petits murs, comme les murs d'appoint et les murs de transition, et les meubles sans ornements.

Dans cet exemple, quatre couleurs de vernis ont été appliquées : le beige doré, le vert, le taupe et un blanc chaud, sur une couleur de base blanc chaud. Le glacis blanc chaud sert de surcouche pour adoucir et amalgamer l'ensemble des couleurs, tout en laissant apparaître les teintes individuelles.

N'oubliez pas de laisser sécher entièrement la couche de base avant d'appliquer les couleurs finales.

Éponger au hasard avec quatre couleurs

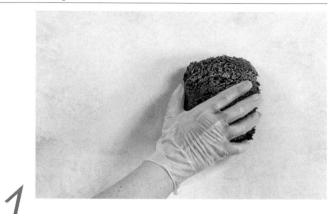

1   *Mélangez le premier glacis, préparez l'éponge et le glacis, et épongez le glacis tel que décrit dans les deux premières étapes de « Application à l'éponge : deux couleurs », page 130. Toutefois, quand votre éponge touche la surface dans un mouvement saccadé de haut en bas, tournez légèrement l'éponge pour obtenir l'effet d'amalgame présenté ici. Épongez plus au hasard que dans les techniques précédentes, en ne couvrant que 30% de la couche de base. Laissez sécher le glacis.*

2   *Mélangez la deuxième couleur et appliquez de la même manière. Organisez votre ensemble de façon que certaines parties du premier glacis restent intouchées. Laissez sécher le glacis.*

3 *Mélangez la troisième couleur et appliquez sur la surface en remplissant les endroits restés intouchés par le second glacis. Laissez sécher le glacis.*

4 *La quatrième couleur éclaircie est presque transparente. Appliquez délicatement cette couleur sur toute la surface en chevauchant et en remplissant les espaces si nécessaire.*

PROCÉDÉ

**ÉPONGER AU HASARD :
QUATRE COULEURS
(Méthode positive 3)**

NIVEAU D'HABILETÉ : débutant avancé à intermédiaire

RECOMMANDÉ POUR : petits murs, portes et autres surfaces plates libres de garnitures, de reliefs, de moulures sophistiquées ou d'ornements

DÉCONSEILLÉ POUR : plafonds ou endroits comportant des reliefs ou des moulures sophistiquées, ou meubles ornementés

PAIRES DE MAINS REQUISES : 1

INSTRUMENTS ET ACCESSOIRES : seaux de peinture, bâtons à mélanger, bac à peinture, éponges de mer, seau d'eau propre, vieux journaux, chiffons propres, gants

COUCHE DE BASE : peinture au latex

COLORANTS POUR GLACIS : peinture au latex pré-mélangée, acrylique d'artiste, peinture à l'huile pré-mélangée ou colorants universels.

RECETTE DE GLACIS : pour glacis au latex : 1 portion de colorant, 1 portion de glacis au latex ou d'acrylique, 1 portion d'eau. Pour un glacis à l'huile : 1 portion de colorant, 1 portion de glacis à l'huile, 1 portion de solvant minéral.

SECTION DE TRAVAIL TYPE : surface ou mur de 60 cm (2 pi) de largeur

SURCOUCHE TRANSPARENTE : optionnelle

Essuyage à l'éponge : une couleur

C'est la méthode négative ou soustractive. Vous appliquez le glacis avec une éponge, puis vous en retirez une partie avec une autre éponge. Comme dans la méthode « éponger au hasard », cette technique produit un subtil amalgame de couleurs, moins structuré que les finis appliqués avec les méthodes standard.

Cette technique exige qu'il y ait deux personnes, une pour appliquer le glacis et une autre pour l'enlever. Les deux personnes doivent se suivre de très près pour éviter que la peinture sèche et d'être obligées de recommencer. Vous ne devez tout de même pas retirer le glacis immédiatement, car il disparaîtrait complètement. Essayez de calculer le temps et la surface que vous réussissez à couvrir en travaillant à l'aise. Rappelez-vous que la personne qui applique le glacis travaille plus rapidement que celle qui l'enlève.

Dans cet exemple, un glacis à l'huile rose-beige, fait à partir de peinture à l'huile pré-mélangée, de vernis à l'huile et de solvant, a été appliqué sur une couche de base au latex blanc chaud. Vous pouvez utiliser des colorants universels. N'utilisez pas de glacis au latex ou à l'acrylique avec cette technique, car vous n'aurez pas assez de temps.

Comment essuyer à l'éponge avec une couleur

1 Mélangez le glacis avec la couleur désirée et à la consistance voulue. Versez une petite quantité dans le bac à peinture. Refermez le contenant pour éviter l'évaporation du solvant. Préparez l'éponge humide et épongez le glacis sur la surface en utilisant la technique décrite dans l'introduction, pages 128-129. Assurez-vous que chaque coup se touche et chevauche de temps en temps le coup précédent. Laissez transparaître 20% de la couche de base.

Coup de maître

Après avoir expérimenté la technique sur une petite surface, vous pouvez accélérer le temps de séchage du glacis à l'huile en utilisant un sèche-cheveux ou ajouter un sécheur (comme un sécheur térébique, du copal ou une huile asséchante légère) au vernis.

2 Utilisez une éponge humide propre pour enlever le plus de glacis possible. Après un certain temps l'éponge va sécher en accumulant le glacis. Pour éviter ce problème, trempez souvent l'éponge dans de l'eau propre et tordez-la jusqu'à ce qu'elle redevienne humide. De temps en temps, traînez l'éponge par-dessus le glacis (comme dans l'étape 1 de « Éponger au hasard », page 134) pour mélanger les couleurs.

3 La touche finale. Près de 10% de la couleur de base apparaît et toute la surface a une apparence de fine brume.

P R O C É D É

ESSUYAGE À L'ÉPONGE : UNE COULEUR
(Méthode négative 1)

NIVEAU D'HABILETÉ : débutant avancé à intermédiaire

RECOMMANDÉ POUR : toute surface libre de reliefs et de moulures sophistiquées

DÉCONSEILLÉ POUR : plafonds, surfaces plates comportant des reliefs, des moulures, petits meubles

PAIRES DE MAINS REQUISE : 2

INSTRUMENTS ET ACCESSOIRES : seaux de peinture, bâtons à mélanger, bac à peinture, deux éponges de mer, seau d'eau propre, vieux journaux, chiffons propres, solvant minéral, gants

COUCHE DE BASE : peinture au latex

COLORANTS POUR GLACIS : peinture pré mélangée coquille d'œuf, peinture à l'huile satinée ou colorants universels.

RECETTE DE GLACIS : 1 portion de colorant, 1 portion de vernis à l'huile et 1 portion de solvant minéral

SECTION DE TRAVAIL TYPE : surface ou mur de 60 cm (2 pi) de largeur

SURCOUCHE TRANSPARENTE : optionnelle

Essuyage à l'éponge: une couleur, variante

Cette méthode négative requiert un pinceau ou un rouleau, une éponge et un coton hydrophile pour produire cette texture si agréable de fine brume. Cette technique, identique à celle de la page précédente, exige la présence de deux personnes, une pour appliquer le glacis, l'autre pour l'enlever. Bien que le temps soit compté, cette technique n'est pas trop difficile, parce que les coups d'éponge répétés nivellent le glacis qui peut être enlevé immédiatement. Afin de trouvez un bon rythme de travail, faites quelques essais en calculant le temps requis.

Dans cet exemple, un glacis à l'huile d'un taupe rougeâtre a été appliqué sur une couche de base au latex, de couleur blanc chaud. La peinture était complètement sèche avant que le glacis soit appliqué au rouleau.

Le secret est de mélanger le glacis à la bonne consistance. Le glacis doit être suffisamment liquide pour couvrir facilement la surface, mais suffisamment épais pour bien adhérer. Avant de commencer, il est recommandé de faire des tests préalables sur des bouts de planche. Autre conseil : il est préférable d'enlever trop de glacis que pas assez. Vous pouvez toujours y aller avec plus de glacis.

Comment essuyer à l'éponge avec une couleur

1 Mélangez un glacis assez liquide de la couleur de votre choix. Versez une petite quantité dans le bac à peinture.

2 Utilisez un rouleau ou un pinceau, appliquez le vernis en trois mouvements de entrecroisés, le premier, vertical de haut en bas, le deuxième, horizontal de bord en bord, et le troisième, vertical de haut en bas. Cela met en place le glacis à essuyer.

Coup de maître

Pour avoir plus de moucheté ou de variations dans l'effet final, changez souvent l'orientation de l'éponge quand vous essuyez le glacis. Alternez les mouvements d'éponge, étendez, roulez, tamponnez le glacis humide et rincez l'éponge fréquemment pour éviter que la peinture ne s'incruste.

3 *Tamponnez légèrement l'éponge humide sur le glacis liquide pour en enlever une partie. Tournez l'éponge pour éviter de créer des formes reconnaissables. Chaque coup doit effleurer le précédent, de façon que la moitié du glacis disparaisse. Rincez et tordez l'éponge aussi souvent que nécessaire pour éviter l'accumulation de glacis.*

4 *Utilisez une éponge fraîchement humectée pour travailler sur le glacis. Tamponnez l'éponge dans un mouvement de torsion du poignet. Cela adoucira et éliminera les traces de coups. Lavez souvent l'éponge pour éviter l'accumulation de glacis.*

5 *La touche finale. Une douce peinture à texture veloutée. Plus vous enlevez de glacis, plus le fini sera vaporeux et léger.*

P R O C É D É

ESSUYAGE À L'ÉPONGE: UNE COULEUR
(Méthode négative 2)

NIVEAU D'HABILETÉ : débutant avancé à intermédiaire

RECOMMANDÉ POUR : toute surface plate, incluant les planchers, qui est libre de relief, de moulure et d'ornement sophistiqué

DÉCONSEILLÉ POUR : plafonds ou autres surfaces ornées de reliefs et moulures sophistiquées.

PAIRES DE MAIN REQUISES : 2

INSTRUMENTS ET ACCESSOIRES : seaux à peinture, bâton à mélanger, bac à peinture, papier à poncer 200 grains, éponges de mer, coton hydrophile n° 90, eau claire, chiffons propres, solvant minéral, gants

COUCHE DE BASE : peinture au latex.

COLORANTS POUR GLACIS : peinture prémélangée coquille d'œuf, peinture à l'huile satinée ou colorants universels

RECETTE DE GLACIS : 1 portion de colorant, 1 portion de vernis à l'huile, 1 portion de solvant minéral. Le solvant minéral peut constituer jusqu'à 50% du glacis.

SECTION DE TRAVAIL TYPE : surface ou mur de 60 cm (2 pi) de largeur

SURCOUCHE TRANSPARENTE : optionnelle

Plus raffinée que la technique à l'éponge, la technique de chiffon crée une douce texture coulante qui rappelle la finesse du parchemin, du suède brossé, du velours froissé et du cuir souple. Cette technique peut également porter le nom de chiffon décolorant, chiffon roulé ou parchemin. Bien qu'elles soient souvent confondues, ces techniques sont toutes des variantes du travail classique au chiffon.

Travaux au chiffon

La technique du chiffon est relativement facile à exécuter. Un tissu mou, habituellement un coton hydrophile, est chiffonné dans la main ou enroulé et sert à appliquer ou à enlever le glacis humide. Parfois on presse du papier journal par-dessus le glacis pour adoucir ou mélanger les couleurs avant de passer le chiffon sur la surface. D'autres tissus ou matières, comme de vieux draps et serviettes, des sacs de plastique, du canevas, des coussinets de tapis et des chamois, créent une incroyable variété de finis. Essayez-les tous sur de petits échantillons.

Utiliser un chiffon doux enroulé pour enlever le glacis crée une élégante texture lisse sur un mur.

La touche finale dépend du genre de chiffon employé et du degré de pression appliqué sur le glacis, autant que du lustre et de la transparence du glacis. Utiliser du papier journal à la place d'un chiffon pour enlever le glacis fera également une différence. La technique du chiffon exige deux aptitudes inconnues dans la technique à l'éponge. La première est de pouvoir correctement chiffonner ou enrouler le tissu. La deuxième est d'avoir un don pour pouvoir travailler dans les coins et le long des bordures.

Préparation du chiffon

Vous aurez besoin d'une longueur de chiffon de 1,80 m (6 pi). Ne déchirez pas le tissu, prenez des ciseaux pour éviter les mousses, les bouts effilés et les fils pendants. Pour bien maîtriser le chiffon, insérez les extrémités coupées à l'intérieur de votre main et chiffonnez le tissu par-dessus pour obtenir un beau plissé. S'il s'agit de chiffons enroulés, roulez les bandes de chiffon en boudins mous, les extrémités coupées repliées vers l'intérieur. Utilisez pour enlever ou mélanger le glacis, en exécutant les gestes décrits dans chaque technique.

Protection des surfaces environnantes

Utilisez du ruban cache pour protéger les surfaces environnantes, tels murs, plafonds et boiseries. Ce ruban, aux rebords microporeux, scelle si bien que même le glacis ne s'y infiltre pas. Quand vous peignez une section, trempez le côté plat d'un pinceau de décorateur dans le glacis et remplissez les coins et les bordures. Appliquez immédiatement le glacis sur le mur en repassant dans les coins. Repassez sur les coups de pinceau avec le rouleau.

Choix de couleurs

Dans la plupart des techniques au chiffon, on utilise un glacis pâle sur une peinture de base pâle ou claire. Les couleurs brillantes et contrastantes donnent d'aussi bons résultats si elles sont bien appliquées. Comme ces techniques exigent un mince glacis à l'huile, ne négligez pas la préparation de vos surfaces. Le glacis à l'eau s'infiltre dans les moindres fissures et les rend plus visibles.

Vous devez garder les bordures humides en tout temps. Il est préférable d'entamer une nouvelle section légèrement au-dessous de la bordure humide, puis de revenir en arrière pour l'atteindre. Cette méthode évite que les joints ne forment d'indésirables lignes foncées entre les sections.

Ayez toujours sous la main du papier journal, un chiffon doux, un pinceau de décorateur, un rouleau et du ruban cache.

Travaux au chiffon

- Chiffonner-appliquer : une couleur

- Chiffonner-appliquer : deux couleur

- Chiffonner-essuyer : une couleur

- Effet parchemin : une couleur

- Effet parchemin : deux couleurs

- Enrouler-essuyer : une couleur

- Chiffonner-essuyer : coton hydrophile décolorant

- Effet parchemin avec papier journal

- Faux-cuir marocain

Chiffonner-appliquer : une couleur

Dans un sens, on pourrait décrire cette technique comme la version chiffon décolorant de la technique à l'éponge. L'effet pommelé est similaire, bien que le résultat soit considérablement plus aéré. Cela peut paraître facile, mais il n'en est rien. Il faut s'exercer pour réussir, avec un bout de chiffon, à toucher la surface avec juste la bonne pression, afin que le tissu laisse sa marque sans se déformer ou vous échapper de la main.

Utilisez un chiffon propre, qui n'est pas effiloché ou usé, et qui pourrait laisser des traces de fil sur votre surface peinte. Changez souvent de chiffon.

N'oubliez pas de protéger les surfaces environnantes, comme les plafonds et les boiseries, avec du ruban cache. Parce que le temps compte, vous devrez travailler pendant que le glacis est mouillé. Ne vous souciez pas trop des coins et des bordures. Vous pourrez faire les retouches plus tard, avec un pinceau d'artiste.

Dans cet exemple, un glacis vert a été appliqué au chiffon sur une couche de base blanche, entièrement sèche, de peinture au latex. Vous pouvez également choisir des couleurs contrastantes ou faire des expériences en jouant avec des variations de ton.

Comment chiffonner-appliquer avec une couleur

1 Mélangez le glacis avec la couleur désirée et à la consistance voulue. Versez une petite quantité dans le bac à peinture. Refermez le contenant pour éviter l'évaporation du solvant.

2 Chiffonnez une pièce de coton hydrophile dans votre main, tel que décrit dans Coup de maître (page suivante). Trempez un côté du chiffon dans le glacis. Glissez délicatement l'éponge sur les sillons du bac afin d'étaler le glacis uniformément. Retirez l'excédent de glacis dans du papier journal au besoin. N'appliquez pas trop de glacis au premier coup.

3 Commencez par le haut de la section et descendez en diagonale et de façon éparse. Tamponnez la surface en douceur avec votre chiffon dans un mouvement de haut en bas en effleurant le motif précédent. Ne pressez pas le chiffon. Tournez le chiffon dans votre main avant chaque coup et inclinez votre poignet d'un côté à l'autre afin d'éviter les motifs répétitifs. Bougez sans arrêt, sans sautiller. Réimbibez votre chiffon de glacis au besoin. Prenez souvent du recul pour vérifier votre travail et voir si les taches sont bien distribuées et appliquées avec une égale pression. À chaque section, reprenez un nouveau chiffon.

4 La touche finale. La différence de teinte entre les coups de chiffon est due au fait que les mouvements répétés réduisent l'intensité de couleur et que, quand vous réimbibez, la couleur change à nouveau. Le dégradé des tons çà et là donne un aspect plus sophistiqué.

Coup de maître

Le secret pour réussir cette technique réside dans la façon dont vous chiffonnez votre tissu. Ne faites pas un tampon trop serré. Façonnez plutôt une balle molle, qui donnera un effet plus naturel. Exercez-vous avant de commencer à appliquer.

PROCÉDÉ

CHIFFONNER-APPLIQUER : UNE COULEUR
(Méthode positive 1)

NIVEAU D'HABILETÉ : débutant

RECOMMANDÉ POUR : grandes surfaces comme les murs

DÉCONSEILLÉ POUR : plafonds, planchers ou autres surfaces ornées de reliefs et de moulures complexes

PAIRES DE MAINS REQUISES : 1

INSTRUMENTS ET ACCESSOIRES : seaux à peinture, bâton à mélanger, bac à peinture, coton hydrophile n° 90, chiffons propres, solvant minéral, gants

COUCHE DE BASE : peinture au latex

COLORANTS POUR GLACIS : peinture à l'huile pré-mélangée ou colorants universels

RECETTE DE GLACIS : 1 portion de colorant, 1 portion de vernis à l'huile, 1 portion de solvant minéral

SECTION DE TRAVAIL TYPE : surface ou mur de 60 cm (2 pi) de largeur

SURCOUCHE TRANSPARENTE : optionnelle

Chiffonner-appliquer : deux couleurs

Suite logique de la technique précédente, cette technique consiste à ajouter une seconde couleur de glacis pour ajouter de la profondeur. Vous devrez inclure cette étape supplémentaire si vous voulez obtenir une surface plus texturée. Vous pouvez même ajouter une troisième couleur avec cette technique. Laissez sécher le glacis à l'huile toute la nuit avant d'appliquer une autre couche de couleur. Les formules au latex sèchent plus rapidement. (Voir l'encadré « Durée de séchage », page 61)

Quand vous avez plusieurs glacis de différentes valeurs, appliquez la couleur la plus pâle en premier et la plus foncée en dernier. Les couleurs foncées sur les couleurs pâles pour une simple raison : les glacis foncés conservent mieux leurs couleurs que les glacis pâles. Ce qui signifie que les glacis pâles conservent difficilement leur teintes sur des glacis foncés. Prenez-en bonne note.

Dans cet exemple, la couche de base est une peinture au latex blanc chaud. La première couche de glacis est un beige chaud, la seconde, le même vert que dans la première méthode décrite à la page 144.

Comment chiffonner-appliquer avec deux couleurs

1 Préparez plusieurs pièces de coton hydrophile, comme il est indiqué dans l'introduction (page 142). Suivez les étapes 1, 2 et 3 de « Chiffonner-appliquer avec une couleur », page 144, pour mélanger et appliquer le glacis le plus pâle. Laissez sécher. Ajoutez la deuxième couleur plus foncée, en commençant en haut de la surface, et descendez en diagonale.

2 Il en résulte une surface plus texturée et plus intense que celle qu'on obtient avec une seule couleur. Une fois la surface bien remplic, lcs coups dc tampon disparaissent.

PROCÉDÉ

CHIFFONNER-APPLIQUER : DEUX COULEURS
(Méthode positive 2)

NIVEAU D'HABILETÉ : débutant avancé à intermédiaire

RECOMMANDÉ POUR : toute grande surface, surtout les murs et les boiseries

DÉCONSEILLÉ POUR : plafonds et planchers

PAIRES DE MAINS REQUISES : 1

INSTRUMENTS ET ACCESSOIRES : seaux à peinture, bâton à mélanger, bac à peinture, coton hydrophile 1,80 m (6 pi) de long, chiffons propres, solvant minéral, gants

COUCHE DE BASE : peinture au latex

COLORANTS POUR GLACIS : peinture à l'huile pré-mélangée ou colorant universel

RECETTE DE GLACIS : 1 portion de colorant, 1 portion de vernis à l'huile, 1 portion de solvant minéral

SECTION DE TRAVAIL TYPE : surface ou mur de 60 cm (2 pi) de largeur

SURCOUCHE TRANSPARENTE : optionnelle

Cette technique de peinture redonne vie aux murs unis et aux espaces sans éclat.

Chiffonner-essuyer : une couleur

Cette méthode négative requiert deux personnes. Une pour pour appliquer le glacis, l'autre pour l'enlever pendant qu'il est encore mouillé, en se servant de grandes pièces de tissu boudinées. Dans la plupart des techniques négatives, le temps est compté parce que le glacis s'applique plus rapidement qu'il ne s'enlève. Faites d'abord un essai sur une section pour déterminer combien de temps vous et votre partenaire devez prendre pour terminer. Un glacis à l'huile laisse plus de temps pour travailler parce qu'il sèche plus lentement. (Voir l'encadré « Durée de séchage », page 61) Souvenez-vous-en en préparant votre projet.

Utilisez un linge propre sans franges pour éviter les mousses et les traces de fil sur votre fini.

Dans cet exemple, un glacis à l'huile taupe a été appliqué sur une couche de base au latex de couleur blanc chaud.

Comment chiffonner-essuyer avec une couleur

1 Préparez plusieurs pièces de coton hydrophile, comme il est indiqué dans l'introduction (page 142). Mélangez le glacis de la couleur et à la consistance voulues, et versez une petite quantité dans le bac à peinture. Refermez le contenant pour éviter l'évaporation du solvant.

2 Avec un rouleau ou un pinceau, appliquez le glacis sur toute la section en trois mouvements entrecroisés, le premier vertical de haut en bas, le second horizontal d'un côté à l'autre et le troisième encore vertical. Ces mouvements mettent en place le glacis et le nivellent.

3 En travaillant du poignet, votre partenaire doit éponger la surface humide avec un chiffon boudiné pour ramasser le glacis. Tournez sans cesse le chiffon pour créer de nouveaux motifs à chaque coup. Tournez la main de chaque côté pour éviter les motifs répétitifs. Quand le chiffon commence à remettre du glacis sur le mur, changez-le pour un propre. Répétez.

4 *La touche finale a une texture qui ressemble au suède. L'illusion semble tellement réaliste que vous serez tenté d'y toucher. À noter que les lignes entre les sections sont invisibles. Vous ne retrouvez non plus aucune trace de coup.*

Coup de maître

À la fin, reculez-vous et vérifiez qu'il n'y a pas d'espaces trop dénudés ou de motifs trop apparents. Tant que le glacis reste humide, vous pouvez apporter les correctifs nécessaires avec un chiffon propre. Au besoin, remplissez les espaces trop clairsemés avec un peu de couleur.

PROCÉDÉ

**CHIFFONNER-ESSUYER :
UNE COULEUR
(Méthode négative 1)**

NIVEAU D'HABILETÉ : débutant avancé à intermédiaire

RECOMMANDÉ POUR : toute grande surface, surtout les murs et les boiseries

DÉCONSEILLÉ POUR : plafonds et planchers. Également une perte de temps pour les très petites surfaces

PAIRES DE MAINS REQUISES : 2

INSTRUMENTS ET ACCESSOIRES : seaux à peinture, bâtons à mélanger, bac à peinture, rouleau à poils 6,4 mm ($1/4$) po) ou en mousse, ou pinceau de taille appropriée à la surface à peindre. Pinceaux d'artiste pour les retouches, bandes de 1,80 m (6 pi) de longueur de coton hydrophile, chiffons propres, solvant minéral, gants

COUCHE DE BASE : peinture au latex

COLORANTS POUR GLACIS : peinture à l'huile pré-mélangée ou colorants universels

RECETTE DE GLACIS : 1 portion de colorant, 1 portion de vernis à l'huile, 1 portion de solvant minéral

SECTION DE TRAVAIL TYPE : surface ou mur de 60 cm (2 pi) de largeur

SURCOUCHE TRANSPARENTE : optionnelle

Effet parchemin : une couleur

Pensez aux parchemins qu'utilisaient les moines médiévaux et vous comprendrez tout ce que cette technique évoque. Elle crée un somptueux et lumineux délavé de couleurs et une texture limpide. Heureusement, c'est aussi facile à faire qu'attrayant. Comme dans toutes les techniques négatives, vous devrez être deux pour cette tâche : un pour appliquer le glacis, l'autre pour le mélanger.

Une fois votre couche de base sèche, vous n'avez qu'à mélanger le glacis, à appliquer une couche et à en retirer une partie avec un chiffon. Vous n'avez même pas besoin d'être méticuleux, sauf dans les coins de mur.

Dans cet exemple, la technique de parchemin a été appliquée avec un glacis beige moyen sur une couche de base blanche au latex. Appliquez la couche de base de la manière usuelle, avec un rouleau ou un pinceau, selon la grandeur de la surface à peindre. Quand la peinture est complètement sèche, appliquez le glacis à l'huile. Utilisez un linge propre sans franges. Les dépôts de petits fils peuvent gâcher votre fini.

Comment créer l'effet parchemin avec une couleur

1 Mélangez le glacis de la couleur et à la consistance voulues et versez une petite quantité dans le bac à peinture. Refermez le contenant pour éviter l'évaporation du solvant.

2 Trempez le rouleau ou le pinceau dans le glacis, égalisez en le frôlant sur les sillons du bac. Rejetez l'excédent de glacis dans du papier journal au besoin, ne mettez pas trop de glacis au premier coup.

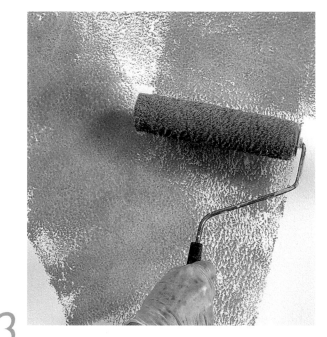

3 Avec le glacis, faites le découpage des contours de la section. Appliquez le glacis de haut en bas, en formant des M, tel qu'indiqué. (Voir « Couche de Base », pages 101 - 103) Laisse apparaître 20% de la couche de base. Travaillez rapidement pour garder les extrémités humides.

4   À l'aide d'un coton hydrophile chiffonné, votre partenaire doit mélanger les couleurs dans un geste de tourbillon. Ensuite, prenez un coton hydrophile propre, chiffonnez à nouveau et texturez le glacis en tamponnant rapidement, mais en douceur. Quand la zone est sèche, mélangez la surcouche. Chiffonnez d'autres cotons et tamponnez le nouveau glacis sur toute la surface. Laissez sécher le glacis. Cette méthode atténue l'effet et accentue la douceur du fini sur toute la surface.

5   La touche finale. Un conseil : quand vous attaquez une nouvelle section, commencez quelques centimètres en bas de la bordure humide et repassez par-dessus pour cacher les lignes de jonction.

PROCÉDÉ

CRÉER UN EFFET PARCHEMIN :
UNE COULEUR
(Méthode négative 2)

NIVEAU D'HABILETÉ : débutant avancé à intermédiaire

RECOMMANDÉ POUR : les grandes surfaces comme les murs

DÉCONSEILLÉ POUR : plafonds, planchers ou autres surfaces ornées de reliefs et moulures complexes

PAIRES DE MAINS REQUISES : 2

INSTRUMENTS ET ACCESSOIRES : seaux à peinture, bâtons à mélanger, bac à peinture, rouleau à poils 6,4 cm (^{1}/4 po) ou gaine de mousse, ou pinceau de taille appropriée à la surface à peindre. Pinceaux d'artiste pour les retouches, ruban cache, bandes de 1,80 m (6 pi) de longueur de coton hydrophile, chiffons propres, solvant minéral, gants

COUCHE DE BASE : peinture au latex

COLORANTS POUR GLACIS : peinture à l'huile pré-mélangée ou colorants universels

RECETTE DE GLACIS : 1 portion de colorant, 1 portion de vernis à l'huile, 1 portion de solvant minéral

SURCOUCHE DE GLACIS : 1 portion de colorant, 1 portion de vernis à l'huile, 4 portions de solvant minéral

SECTION DE TRAVAIL TYPE : surface ou mur de 60 cm (2 pi) de largeur

SURCOUCHE TRANSPARENTE : optionnelle

Effet parchemin : deux couleurs

C'est la même technique que la précédente (pages 150 - 151), sauf que vous appliquerez une seconde couleur pour accentuer l'effet. C'est plus coloré (bien que subtil) et il y a plus de profondeur.

N'oubliez pas de protéger les surfaces environnantes, comme les plafonds et les boiseries, avec du ruban cache.

Si vous oubliez un coin ou commettez une erreur, laissez d'abord sécher le glacis, vous ferez les retouches le lendemain. Pour les endroits oubliés, particulièrement les coins et les contours de garnitures, utilisez un pinceau pleinement imbibé de glacis. Si certaines zones sont trop pâles, épaississez le glacis et repassez délicatement un pinceau d'artiste sur la couche existante. Cela fera ressortir la couleur. Si certaines zones sont trop foncées, refaites un glacis plus clair et appliquez avec un pinceau d'artiste.

Utilisez un linge propre sans franges. Les dépôts de petits fils peuvent gâcher votre fini.

Comment créer l'effet parchemin avec deux couleurs

1 Suivez les étapes 1 - 3, de « Effet parchemin : une couleur, » page 150, pour commencer. Immédiatement après avoir étalé la première couleur de glacis, appliquez la seconde, plus foncée, pour couvrir 50% de la surface. Laissez transparaître 20% de la couche de base.

2 Amalgamez les deux glacis, puis texturez et appliquez la surcouche tel que décrit à la page 151.

3 La touche finale. Bien que similaire à la technique « Effet parchemin : une couleur, » cette technique donne plus de profondeur, de texture et de luminosité.

Coup de maître

Comme variante, vous pouvez créer un effet fresque. Pour ce faire, appliquez la première couleur. Une fois sèche, poncez légèrement. Essuyez ou passez l'aspirateur pour enlever les particules, puis appliquez la seconde couleur sur la surface rugueuse. Tandis que la deuxième couche est encore humide, frottez vigoureusement la couleur pour la faire pénétrer dans la surface. Une fois complètement sèche, la surface sera lustrée. Faites-en l'expérience sur une planche échantillon.

PROCÉDÉ

EFFET PARCHEMIN : DEUX COULEURS
(Méthode négative 3)

NIVEAU D'HABILETÉ : débutant avancé à intermédiaire

RECOMMANDÉ POUR : les grandes surfaces comme les murs

DÉCONSEILLÉ POUR : plafonds, planchers ou autres surfaces ornées de reliefs et moulures complexes

PAIRES DE MAINS REQUISES : 2

INSTRUMENTS ET ACCESSOIRES : seaux à peinture, bâtons à mélanger, bac à peinture, rouleau à poils 6,4 mm (^{1}/4 po) ou gaine de mousse, ou pinceau de taille appropriée à la surface à peindre. Pinceaux d'artiste pour les retouches, ruban cache, bandes de 1,80 m (6 pi) de longueur de coton hydrophile, chiffons propres, solvant minéral, gants

COUCHE DE BASE : peinture au latex

COLORANTS POUR GLACIS : peinture à l'huile pré-mélangée ou colorants universels

RECETTE DE GLACIS : 1 portion de colorant, 1 portion de vernis à l'huile, 1 portion de solvant minéral

SURCOUCHE DE GLACIS : 1 portion de colorant, 1 portion de vernis à l'huile, 2 ou 3 portions de solvant minéral

SECTION DE TRAVAIL TYPE : surface ou mur de 60 cm (2 pi) de largeur

SURCOUCHE TRANSPARENTE : optionnelle

Enrouler-essuyer : une couleur

Aussi étrange que cela puisse paraître, l'apparence froissée du parchemin est très belle, procurant de riches et étonnantes variations de couleurs et de textures. C'est une technique relativement facile, qui implique une application de glacis au chiffon et un essuyage de glacis au chiffon, le tout en peu de temps. Comme c'est une méthode négative, deux personnes doivent faire le travail, une qui applique le glacis, l'autre qui le retire. La partie la plus difficile consiste à bouger le chiffon le long du mur en un geste stable et continu. Entraînez-vous : en plus d'affiner votre adresse, vous apprendrez à vous coordonner avec votre équipier. Cette technique fonctionne mieux sur une grande surface, avec une couche de base pâle et un glacis légèrement plus foncé.

Dans cet exemple, un glacis à l'huile beige a été appliqué sur une couche de base au latex de couleur blanc chaud. Le glacis est plus mince que d'habitude et il s'applique seulement quand la couche de base est complètement sèche.

Gardez toujours des chiffons propres sans effilochures sous la main. Les dépôts de petits fils peuvent gâcher votre fini.

Comment enrouler-essuyer

1 Préparez de vieux draps ou autres tissus tel que décrit dans l'introduction (page142). Ou prenez du coton hydrophile n° 90, préalablement lavé pour l'adoucir. Repliez les extrémités vers l'intérieur et formez des boudins mous.

2 Mélangez le glacis de la couleur et à la consistance voulues et versez une petite quantité dans le bac à peinture. Roulez-le également sur la couche de base, dans des mouvements entrecroisés, première application verticale, de haut en bas, deuxième, horizontale, et troisième, verticale. Cela étale le glacis. Ne le laissez pas prendre, il serait trop épais et trop foncé.

3 Votre partenaire doit alors rouler un autre tissu sec sur le glacis, en travaillant de haut en bas. Changez l'angle

du tissu pour éviter les motifs répétitifs. Quand le tissu commence à remettre du glacis sur le mur, changez-en. Chevauchez les sections pour éviter que des lignes permanentes ne se forment. Évitez les motifs reconnaissables. S'il y en a, retouchez-les avec du glacis et repassez le chiffon.

4 Repassez une seconde fois sur la surface vernie avec un boudin de tissu neuf. Cela adoucit et mélange le motif.

5 La touche finale. La surface traitée montre une texture riche et égale.

PROCÉDÉ

**ENROULER-ESSUYER :
UNE COULEUR
(Méthode négative 4)**

NIVEAU D'HABILETÉ : intermédiaire

RECOMMANDÉ POUR : les grandes surfaces comme les murs

DÉCONSEILLÉ POUR : plafonds, planchers ou autres surfaces ornées de reliefs et moulures complexes

PAIRES DE MAINS REQUISES : 2

INSTRUMENTS ET ACCESSOIRES : seaux à peinture, bâtons à mélanger, bac à peinture, rouleau à poils 6,1 mm ($^{1}/_{4}$ po) ou gaine de mousse, ou pinceau de taille appropriée à la surface à peindre. Pinceaux d'artiste pour les retouches, ruban cache, bandes de 1,80 m (6 pi) de longueur de coton hydrophile, chiffons propres, solvant minéral, gants

COUCHE DE BASE : peinture au latex

COLORANTS POUR GLACIS : peinture à l'huile pré-mélangée ou colorants universels

RECETTE DE GLACIS : 1 portion de colorant, 1 portion de vernis à l'huile, 2 portions de solvant minéral

SECTION DE TRAVAIL TYPE : surface ou mur de 60 cm (2 pi) de largeur

SURCOUCHE TRANSPARENTE : optionnelle

Chiffonner-essuyer : coton hydrophile décolorant

Voici une autre élégante variante. On commence par enlever du glacis pour donner plus de contraste, puis on décolore avec un chiffon pour créer un fini doux et bien amalgamé. Méthode négative, il faut donc deux partenaires, un pour appliquer, l'autre pour enlever. Avant de commencer, exercez-vous à jauger la somme de travail que vous pouvez effectuer à deux.

N'oubliez pas de protéger les surfaces environnantes avec du ruban cache. Faites une bonne réserve de tissus propres pour en changer souvent. Jamais de tissus effilochés. Les dépôts de petits fils peuvent gâcher votre fini.

Comme dans les technique de parchemin, celle-ci requiert un glacis à l'huile léger. Dans cet exemple, un glacis légèrement plus foncé est appliqué sur une couche de base au latex blanc frais. L'unique couleur fournit suffisamment de texture et de contraste parce qu'elle est travaillée de deux façons.

Comment chiffonner-essuyer avec du coton hydrophile décolorant

1 Préparez plusieurs pièces de coton hydrophile, comme il est indiqué dans l'introduction (page 142). Mélangez le glacis de la couleur et à la consistance voulues et versez une petite quantité dans le bac à peinture. Refermez le contenant pour éviter l'évaporation du solvant.

2 Étalez le glacis sur la couche de base avec un rouleau ou un pinceau, 30% de la couche de base transparaît.

3 Votre partenaire doit rapidement et vigoureusement enlever du glacis en tamponnant de haut en bas avec un tissu chiffonné. Changez l'angle du tissu et tournez la main de gauche à droite. Assurez-vous qu'il n'y ait pas de motifs. S'il y en a, retouchez-le avec du glacis et repassez le chiffon. Quand le chiffon est trop imbibé, prenez-en un neuf.

4   Quand la surface a été essuyée, prenez immédiatement un tissu chiffonné propre et égalisez le glacis pour qu'il se mélange bien. À chaque coup, tordez légèrement le tissu quand il touche la surface, pour adoucir les rebords des motifs. À ce point-ci, 20% de la couche de base transparaît. Variante de cette étape, pliez le tissu à plat au lieu de le chiffonner.

5   La touche finale. Cette méthode d'essuyage en deux étapes crée un fini plus profond, plus texturé, plus subtil que les méthodes plus simples.

P R O C É D É

CHIFFONNER-ESSUYER :
COTON HYDROPHILE DÉCOLORANT
(Méthode négative 5)

NIVEAU D'HABILETÉ : intermédiaire

RECOMMANDÉ POUR : les grandes surfaces comme les murs

DÉCONSEILLÉ POUR : plafonds, planchers, petites surfaces ou autres surfaces ornées de reliefs et moulures complexes

PAIRES DE MAINS REQUISES : 2

INSTRUMENTS ET ACCESSOIRES : seaux à peinture, bâtons à mélanger, bac à peinture, rouleau à poils 6,4 mm ($^{1}/4$ po) ou gaine de mousse, ou pinceau de taille appropriée à la surface à peindre. Pinceaux d'artiste pour les retouches, ruban cache, bandes de 1,80 m (6 pi) de longueur de coton hydrophile, chiffons propres, solvant minéral, gants

COUCHE DE BASE : peinture au latex

COLORANTS POUR GLACIS : peinture à l'huile pré-mélangée ou colorants universels

RECETTE DE GLACIS : 1 portion de colorant, 1 portion de vernis à l'huile, 2 portions de solvant minéral

SECTION DE TRAVAIL TYPE : surface ou mur de 60 cm (2 pi) de largeur

SURCOUCHE TRANSPARENTE : optionnelle

Effet parchemin avec papier journal

Bien qu'elle apparaisse semblable à la précédente technique du parchemin, cette technique requiert du papier journal pour enlever et mélanger les deux glacis. Un peu d'encre de journal est absorbée dans la couleur pâle du glacis, lui apportant une petite touche distinctive. Il y a des différences dans les sortes et les quantités d'encres utilisées dans les journaux. Testez-en quelques-unes avant de commencer pour voir leurs effets et si vous aimez. Si vous ne voulez pas de dépôts d'encre, utilisez un ou deux tampons de papier journal vierge, vendu chez les fournisseurs de matériel d'artiste.

Cette technique fait également partie des méthodes négatives et comme dans les précédentes, deux personnes doivent faire le travail, une qui applique et l'autre qui enlève le glacis. L'expérience vous aidera à maîtriser la technique et le minutage.

N'oubliez pas de protéger les surfaces environnantes avec du ruban cache. Faites une bonne réserve de papier journal et de chiffons propres. Jamais de tissus effilochés. Les dépôts de petits fils peuvent gâcher votre fini.

Comment appliquer des glacis avec du papier journal

1 Suivez les étapes 1 - 3 de « Effet parchemin : une couleur, » page 150, pour commencer. Immédiatement après avoir étalé la première couleur de glacis, appliquez la seconde, plus foncée, pour couvrir 50% de la surface.

2 Votre partenaire doit alors ouvrir une page de papier journal, l'appuyer contre le glacis et la presser à plat sur la surface. Travaillez à un angle de 45 degrés et répétez sur toute la section. Changez l'angle des journaux pour éviter les motifs répétitifs. Remarquez comme l'encre se mélange à la couleur. Quand le papier est gluant, prenez-en un nouveau.

3 Chiffonnez immédiatement le coton tel que décrit dans l'introduction et mélangez le glacis pour adoucir les lignes droites. Ensuite, texturez sans abuser du glacis, tel que décrit dans les étapes 4 et 5 de « Effet parchemin : une couleur », page 151.

4 La touche finale. Une version plus subtile de l'effet parchemin en deux couleurs.

PROCÉDÉ

EFFET PARCHEMIN AVEC PAPIER JOURNAL (Méthode négative 6)

NIVEAU D'HABILETÉ : intermédiaire

RECOMMANDÉ POUR : grandes surfaces comme les murs

DÉCONSEILLÉ POUR : plafonds, planchers ou autre surfaces ornées de reliefs et moulures complexes

PAIRES DE MAINS REQUISES : 2

INSTRUMENTS ET ACCESSOIRES : ruban cache, seaux à peinture, bâton à mélanger, deux bacs à peinture, deux rouleaux de 6,4 mm (^{1}/4 po) à poils ou en mousse, deux pinceaux de décorateur de la taille appropriée aux surfaces à peindre. Pinceaux d'artiste pour les retouches, coton hydrophile coupé en longueurs de 1,80 m (6 pi), papier journal, chiffons propres, solvant minéral, gants

COUCHE DE BASE : peinture au latex

COLORANTS POUR GLACIS : peinture à l'huile pré-mélangée ou colorants universels

RECETTE DE GLACIS : 1 portion de colorant, 1 portion de vernis à l'huile, 1 portion de solvant minéral

SECTION DE TRAVAIL TYPE : surface ou mur de 60 cm (2 pi) de largeur

SURCOUCHE TRANSPARENTE : optionnelle

Faux-cuir marocain

L'intrinsèque beauté de la technique du chiffon roulé atteint ici son zénith. L'aspect recherché se veut une imitation des fins cuirs marocains, faits de cuir de chèvre tanné au sumac. Cette teinte profonde de faux-fini est subtile et somptueuse à la fois. C'est une preuve évidente que la peinture décorative est capable d'imiter avec succès des matériaux exotiques et onéreux. Non seulement vous épargnez de l'argent, mais vous êtes conscient de l'environnement tout en créant quelque chose de vraiment unique.

Dans cet exemple, le fini a été créé avec un glacis rouge chinois et un glacis noir. Le glacis noir a été modifié et réchauffé avec un peu de bleu et d'ambre brûlé. Ils ont été appliqués sur une couche de base au latex rouge pur, puis amalgamés. Évidemment, la couche de base était entièrement sèche avant l'application du glacis.

VARIANTES :

Utilisez une couche de base verte et un glacis vert foncé ou une base d'un bleu profond et un glacis marine.

Comment créer le faux-cuir marocain

1 Préparez plusieurs pièces de coton hydrophile, comme il est indiqué dans l'introduction (page 142). Mélangez le glacis de la couleur et à la consistance voulues et versez une petite quantité dans le bac à peinture. Refermez le contenant pour éviter l'évaporation du solvant.

2 Utilisez un pinceau plat de décorateur sur les petites surfaces (ou un rouleau sur les grandes surfaces), étalez le glacis rouge sur 75% de la couche de base sèche. Étalez de façon éparse, avec des mouvements en diagonale. Appliquez immédiatement le glacis noir sur 75% de la surface en gestes inégaux, ce qui laissera apparaître 5% de la couche de base.

3   *Avec un coton chiffonné dans la main, votre partenaire doit tamponner délicatement la surface de haut en bas pour mélanger les couleurs. Vous pouvez également faire ce mélange avec des journaux. (Suivez les indications de l'étape 2 à la page 158.) Cela permet de laisser apparaître plus de couche de base.*

4   *La touche finale. Une stupéfiante surface, sophistiquée, avec beaucoup de profondeur, un véritable trompe-l'œil.*

PROCÉDÉ

FAUX-CUIR MAROCAIN
(méthode négative 7)

NIVEAU D'HABILETÉ : intermédiaire

RECOMMANDÉ POUR : surfaces sans intérêt ou murs d'appoint

DÉCONSEILLÉ POUR : plafonds, planchers ou autres surfaces ornées de reliefs et moulures complexes

PAIRES DE MAINS REQUISES : 2

INSTRUMENTS ET ACCESSOIRES : ruban cache, seaux à peinture, bâtons à mélanger, deux bacs à peinture, rouleau à poils courts ou à gaine de mousse, larges pinceaux de décorateur (75mm-3 po), coton hydrophile taillé en bandes de 1,80 m (6 pi), vieux journaux, solvant minéral, gants

COUCHE DE BASE : peinture au latex

COLORANTS POUR GLACIS : peinture à l'huile pré-mélangée, colorants universels, peinture à l'huile pour artistes

RECETTE DE GLACIS : 1 portion de colorant, 1 portion de vernis à l'huile, 1 portion de solvant minéral

SECTION DE TRAVAIL TYPE : surface ou mur de 60 cm (2 pi) de largeur.

SURCOUCHE TRANSPARENTE : optionnelle

De tous les finis, le pointillé est un des rares dont l'origine est strictement utilitaire. Depuis des siècles, les peintres l'utilisent pour égaliser et masquer les traits de pinceau sur les surfaces. La délicate texture mate du grain que produit cette méthode est devenue si populaire que le pointillé a été élevé au rang de fini décoratif.

Le pointillé

Le pointillé consiste à tamponner le glacis avec un pinceau pour produire de minuscules points de couleur. Contrairement à certaines autres techniques décoratives, qui ajoutent ou enlèvent du glacis, le pointillé fragmente le glacis en petits points pour permettre à la couche de base d'apparaître à travers. C'est un très joli effet, il ajoute un riche accent aux couleurs pâles et intenses, autant qu'aux nuances prononcées. Un fini pointillé enjolive tout genre de surface, sauf celles qui sont poreuses. C'est une façon particulièrement efficace de décorer les meubles et les garnitures.

Le pointillé, à l'instar de la technique des beaux-arts appelée pointillisme, utilise des masses d'infinis petits points de peinture qui, vus d'une certaine distance, donnent l'illusion d'un seul lavis de couleur. L'artiste Lucianna Camu a pointillé les garnitures de cette pièce.

Pour bien réussir un fini pointillé, vous devrez utiliser un pinceau à pointiller de grande qualité et faire des gestes égaux et réguliers. Un pinceau à pointiller professionnel peut coûter jusqu'à 200 $. Ne paniquez pas, il existe des substituts efficaces. Vous pouvez fabriquer un pinceau à pointiller large et épais avec deux pinceaux bon marché à teinture, fixés ensemble par du ruban cache. Un pinceau à nettoyer, à poils durs, fonctionne également très bien sur les grandes surfaces et un pinceau à poils durs d'artiste, comme le traditionnel pinceau pour pochoir, ainsi qu'un pinceau à ceinture ovale font très bien le travail dans les petites zones, surtout quand elles comportent des reliefs complexes et des ornements sophistiqués.

Le pointillé nécessite un bon mouvement précis comme dans la technique à l'éponge, sauf que vous devez faire travailler le pinceau plus vigoureusement que l'éponge. (Voir chapitre 6, « Travaux à l'éponge, » page 128) Plus vous pointillez une surface, plus la couleur du fini sera pâle, et plus fin sera le grain du fini.

Tous les pointillés se font sur des bases au latex et des glacis à l'huile, pour vous laisser le temps de travail requis. N'utilisez pas de glacis au latex, car il sèche trop rapidement même si vous y ajoutez un retardateur.

Pointiller de grandes surfaces nécessite sans contredit le concours de deux personnes, une pour appliquer le glacis, l'autre pour le pointiller. Exercez-vous avant de commencer pour savoir combien de temps vous devez attendre avant de pointiller le glacis et quelle surface vous pouvez couvrir d'un seul coup sans qu'une des personnes soit trop en avance sur le travail de l'autre. Cette expérience vous aidera également à développer une régularité dans vos mouvements, qui est indispensable pour le pointillé.

Comme les pointilleurs professionnels *coûtent très cher, vous pouvez les remplacer par de simples pinceaux à teinture de 75 mm - 3 po (à droite), un pinceau à ceinture ovale (au centre), ou encore vous pouvez coller ensemble deux pinceaux à teinture très larges (à gauche) pour grandes surfaces.*

Le pointillé

- Pointillé de base

- Pointillé antique

- Pointillé antique : trois couleurs

- Pointillé dégradé : deux couleurs ou plus

Pointillé de base

Voici une bonne illustration de la manière dont le pointillé adoucit une couleur forte en l'atténuant. C'est également une façon d'amalgamer deux teintes différentes d'une même couleur ou deux couleurs complètement différentes. Dans cet exemple, une couche de base vert éclatant, entièrement sèche, est recouverte d'un glacis vert foncé teinté de noir ou d'ambre brut, le vert indigène, travaillé avec deux séries de coups de pinceau : la première grossière, l'autre, un fin mouvement de pointillé.

Coup de maître

Pour une apparence plus sophistiquée et plus subtile, vous pouvez varier la technique. Appliquez deux couleurs différentes sur les extrémités opposées de la surface, en laissant au milieu une zone découverte. Prenez un chiffon pour ramener graduellement le glacis vers le centre et ce, de chaque côté, jusqu'à ce que les deux couleurs se chevauchent. Avec un pinceau à pointiller, vous pouvez raffiner le fini en mélangeant si bien les couleurs qu'il deviendra impossible de percevoir où une couleur commence et où l'autre finit.

Comment pointiller

1 Appliquez la couche de base. Dans ce cas, il s'agit d'un vert brillant, comme vous voyez. Laissez sécher. Mélangez le glacis de la couleur et à la consistance voulues et versez une petite quantité dans le bac à peinture. Appliquez sans à-coups le glacis sur la première section à l'aide d'un rouleau.

2 Avec une bonne prise sur le manche d'un gros pinceau de décorateur, tel qu'illustré, votre partenaire doit immédiatement et rapidement ponctuer énergiquement l'entière section de pointillés, en utilisant la méthode du tampon, décrite dans l'introduction (page 164). Le glacis se transforme alors en petits points. Nettoyez régulièrement le pinceau en travaillant.

3 Pour obtenir un beau pointillé, travaillez d'un côté à l'autre de votre surface en tamponnant votre pinceau tel que décrit dans l'introduction (page 164). Chevauchez les traits. Évitez de créer des motifs reconnaissables, travaillez à l'horizontale et exercez un mouvement de rotation avec votre pinceau avant l'application de chaque trait. Nettoyez régulièrement le pinceau en travaillant.

4 La touche finale: une couleur profonde qui a été adoucie et enrichie par la technique du pointillé.

PROCÉDÉ
POINTILLÉ DE BASE

NIVEAU D'HABILETÉ : débutant avancé à intermédiaire

RECOMMANDÉ POUR : presque toutes les surfaces

DÉCONSEILLÉ POUR : surfaces poreuses

PAIRES DE MAIN REQUISES : 1 ou 2, selon la taille de la surface

INSTRUMENTS ET ACCESSOIRES : seaux à peinture, bâtons à mélanger, bac à peinture, rouleau à poils courts ou en mousse, pinceau de décorateur de 7,5 mm (3 pi) de largeur, chiffons propres, solvant minéral, gants

COUCHE DE BASE : apprêt au latex

COLORANTS POUR GLACIS : apprêt prémélangé, coquille d'œuf ou peinture à l'huile satinée, colorants universels, peinture à l'huile pour artistes. Choisissez une peinture lustrée seulement si vous voulez que votre fini définitif ait un aspect luisant.

RECETTE DE GLACIS : 1 portion de colorant, 1 portion de vernis à l'huile, 1 portion de solvant minéral

SECTION DE TRAVAIL TYPE : surface ou mur de 30 cm (2 pi) de largeur

SURCOUCHE TRANSPARENTE : optionnelle

Pointillé antique

Le pointillé est une excellente façon de donner un côté vieillot, voire antique, à vos meubles et éléments architecturaux, tels une couronne sculptée ou une moulure courbée, un dossier de chaise ou une autre garniture. Cette technique négative simple consiste à introduire le glacis et à l'essuyer en laissant presque intactes les surfaces plates pour mettre l'accent sur les endroits qui ressortent. Les garnitures ainsi traitées ajoutent une fine touche aux murs pointillés.

Essuyer le glacis ne fait pas seulement ressortir les moulures et les reliefs, il met également en lumière les imperfections dans la surface pointillée. Vous voudrez sans doute cacher ces « imperfections ». Auquel cas réparez correctement la surface avant de commencer à peindre. Cela implique qu'il faut remplir les trous, les écorchures et les égratignures du bois. Si la surface a déjà été peinte ou traitée avec un autre fini, il faudra tout enlever. (Voir chapitre 4, « Préparation des surfaces : Travail de base » débutant à la page 79.) Le pointillé antique donne de meilleurs résultats quand il est appliqué avec des couleurs peu contrastantes. Dans cet exemple, un glacis légèrement plus foncé est appliqué sur une couche de base claire. Un glacis additionnel a été appliqué pour accentuer le côté antique de la couleur. Cette étape est optionnelle.

Comment exécuter le pointillé antique

1 Mélangez le glacis de la couleur et à la consistance voulues et versez une petite quantité dans le bac à peinture. Refermez le contenant pour éviter l'évaporation du solvant. Appliquez le glacis sur la surface avec un pinceau de décorateur, en recouvrant complètement la zone. Si la garniture présente des reliefs par endroits, comme on voit ici, appliquez seulement le glacis sur les reliefs, pour l'instant.

2 À l'aide d'un pinceau à ceinture ovale ou d'un autre petit pinceau, appliquez le glacis de la façon proposée dans l'introduction (page 164). Cela ramollit le glacis et laisse plus de temps pour travailler la technique. Pointillez la zone à deux reprises, pas davantage, sinon la couleur sera trop claire.

3   *Quand le glacis commence à ternir, trempez un tampon de coton hydrophile dans du diluant à peinture et essuyez la moulure en retournant le tampon pour qu'il soit toujours propre.*

4   *Si vous le souhaitez, appliquez une mince couche de glacis antique sur le reste de la moulure, en utilisant un pinceau, tel qu'indiqué. Essuyez le glacis pour que seulement une partie de la couleur soit visible.*

5   *La touche finale. Vous pouvez également mettre du glacis sur les extrémités de la moulure et l'amincir légèrement pour que les couleurs se fondent dans le mur.*

P R O C É D É
POINTILLÉ ANTIQUE

NIVEAU D'HABILETÉ : débutant avancé à intermédiaire

RECOMMANDÉ POUR : hauts-reliefs ou surfaces ornementées telles les moulures

DÉCONSEILLÉ POUR : surfaces plates

PAIRES DE MAINS REQUISES : 1

INSTRUMENTS ET ACCESSOIRES : seaux à peinture, bâtons à mélanger, bac à peinture, pinceau de décorateur de 37 à 50 mm (1^{1}/2 à 2 po) de largeur, pinceau à ceinture ovale ou petit pinceau à pointiller, coton hydrophile replié en tampons, solvant minéral, gants

COUCHE DE BASE : de préférence peinture à l'huile coquille d'œuf ou satinée, sauf si la moulure possède déjà un fini au latex

COLORANTS POUR GLACIS : peinture à l'huile mélangée ou colorants universels atténués avec un peu d'ambre brut de peinture à l'huile pour artistes

RECETTE DE GLACIS : 1 portion de colorant, 1 portion de vernis à l'huile, 1 portion de solvant minéral

SECTION DE TYPE DE TRAVAIL : 120 cm (4 pieds linéaires)

SURCOUCHE TRANSPARENTE : non

Pointillé antique : trois couleurs

Cette version est plus décorative que le pointillé avec une couleur. Elle utilise trois couleurs reluisantes pour créer une texture élégante et discrète. C'est un excellent fini à appliquer sur des éléments architecturaux tels des panneaux de porte, des devantures de tiroir, des moulures et d'autres surfaces que vous voulez mettre en valeur.

Dans cet exemple, le fini a été appliqué sur le tiroir d'un meuble avec de l'époxy pour meubles blanc. La couleur beige-saumon et le glacis vert offrent un plus grand contraste. Les glacis sont un mélange moitié moitié de peinture à l'huile satinée pré-mélangée et de vernis à l'huile satiné. Ce glacis fonctionne bien sur le bois qui possède déjà un fini. Il s'applique facilement, adhère bien, protège la surface et permet de faire des retouches sans avoir à refaire tout le meuble. Ce glacis convient également aux surfaces de bois non peintes, mais vous devrez appliquer un apprêt et ensuite les peindre avant de commencer.

Vous pouvez ternir le fini existant avec un liquide délustrant, mais ne le poncez pas. Lavez toujours la surface avec une solution de phosphate de trisodium (TSP).

Comment exécuter le pointillé antique avec trois couleurs

1 *Mélangez les glacis avec les couleur désirées à la consistance voulue. Versez une petite quantité du premier glacis dans le bac à peinture. Refermez le contenant pour éviter l'évaporation du solvant. Appliquez le glacis au pinceau dans le centre du panneau. Quand le glacis est sur le point de sécher, pointillez en utilisant la technique décrite dans l'introduction (page 164), jusqu'à ce que le glacis ait pâli à la couleur désirée. Laissez sécher le glacis.*

2 *Appliquez le second glacis sur les rebords extérieurs. Quand le glacis commence à sécher, pointillez de la même manière qu'au centre du panneau. Appuyez sur chaque coin en déposant une feuille de papier à poncer, le grain en dessous, à un angle de 45 degrés, le long des côtés. Pointillez sur le papier jusqu'à ce que le glacis pâlisse à la couleur désirée. Laissez sécher le glacis.*

3 *Cachez le panneau central et les rebords extérieurs tel que présenté. Appliquez le glacis sur les endroits apparents. Quand le glacis commence à sécher, pointillez jusqu'à ce qu'il ait pâli à la couleur désirée.*

4 *La touche finale. Comme vous pouvez le constater, l'effet pointillé ajoute de la profondeur et de la texture sur la devanture de ce tiroir. L'apparence est plus raffinée que celle d'une peinture standard.*

Coup de maître

Si votre maison manque de détails architecturaux, comme des moulures ornementées, vous pouvez en ajouter. Elles se vendent préfabriquées, en bois ou en plastique. Les deux peuvent être traitées au pointillé antique.

PROCÉDÉ

POINTILLÉ ANTIQUE : TROIS COULEURS

NIVEAU D'HABILETÉ : intermédiaire

RECOMMANDÉ POUR : les surfaces à panneaux, les reliefs et les garnitures sophistiquées

DÉCONSEILLÉ POUR : surfaces plates

PAIRES DE MAINS REQUISES : 1

INSTRUMENTS ET ACCESSOIRES : ruban cache, papier collant, seaux à peinture, bâton à mélanger, bac à peinture, pinceau de décorateur de 50 cm (2 po) de largeur, papier à poncer 80 grains, pinceau à ceinture ovale, solvant minéral, gants

COUCHE DE BASE : sur une surface pré-finie, fini existant nettoyé au TSP ou essuyé au délustrant liquide. Sur une nouvelle surface, peinture à l'huile coquille d'œuf ou satinée sur un apprêt ou scellant, selon le besoin

COLORANTS POUR GLACIS : peinture à l'huile satinée pré-mélangée ou colorants universels

RECETTE DE GLACIS : 1 portion de peinture à l'huile satinée pré-mélangée et 1 portion de vernis à l'huile satiné

SECTION DE TRAVAIL TYPE : surface ou mur de 60 cm (2 pi) de largeur

SURCOUCHE TRANSPARENTE : non

Pointillé dégradé : deux couleurs ou plus

Cette technique est plus complexe dans son ensemble. Elle consiste à appliquer deux bandes ou plus de glacis de couleurs différente et de les mélanger le long de leur ligne de jonction avec un pinceau à pointiller. Continuez à pointiller jusqu'à ce que les couleurs donnent l'impression de se fondre. Utilisez les différentes valeurs et intensités d'une couleur pour créer un effet décoloré. L'exemple ici contient des couleurs contrastantes qui s'harmonisent bien, qui se fondent. Dans les deux cas, c'est une formidable façon de décorer les murs d'une grande pièce, où vous pouvez reculer pour admirer le dégradé des couleurs.

La technique consiste à diviser le mur en deux ou trois sections horizontales, selon le cas. Appliquez la couleur la plus pâle en haut et descendez jusqu'à la plus foncée en bas. Si vous n'utilisez que deux couleurs contrastantes, comme ici, divisez le mur en deux sections inégales pour favoriser l'une des couleurs. Ne divisez jamais un mur en portions égales.

N'oubliez pas de protéger les surfaces environnantes avec du ruban cache. Pour éviter que le glacis s'accumule sur le pinceau à pointiller, essuyez occasionnellement les poils dans un tissu chiffonné ou dans du papier journal.

Comment exécuter le pointillé dégradé

1 Mélangez les glacis avec la couleur désirée et à la consistance voulue. Si vous utilisez différentes valeurs et intensités d'une couleur, mélangez-les tel qu'indiqué dans les variantes de « Application à l'éponge : trois couleurs », pages 132-133. Versez une petite quantité de chaque couleur de glacis dans le bac à peinture. Refermez le contenant pour éviter l'évaporation du solvant.

2 À l'aide d'un rouleau, appliquez le glacis sur la section appropriée de la surface. Travaillez de haut en bas, en commençant par la couleur la plus pâle jusqu'à la plus foncée.

3 Avec un pinceau de décorateur, égalisez les extrémités des bandes et commencez à ramener les glacis les uns dans les autres. Commencez par le bas des bandes et remontez le glacis à 15 cm (6 po) de la couleur du haut ou du milieu. Remontez la seconde couleur à 15 cm (6 po) du bas de la première couleur. Répétez pour chaque couleur. Pointillez énergiquement le glacis avec un pinceau de décorateur, tel que décrit dans l'introduction, page 164. Commencez par le bas et parcourez tout le mur par sections horizontales. Attention de ne pas barbouiller les côtés des bandes, pour éviter que les couleurs ne perdent leur définition.

4 Bien pointiller avec un pinceau à pointiller. Encore une fois, commencez par le bas en travaillant par sections horizontales. Continuez à fondre les couleurs.

5 La touche finale. Les textures finement pointillées et bien mélangées produisent un voile brumeux.

PROCÉDÉ

POINTILLÉ DÉGRADÉ : DEUX COULEURS OU PLUS

NIVEAU D'HABILETÉ : avancé

RECOMMANDÉ POUR : les grandes surfaces comme les murs

DÉCONSEILLÉ POUR : petites zones, même plate et toutes les surfaces avec reliefs et moulures complexes

PAIRES DE MAINS REQUISES : 1 ou 2

INSTRUMENTS ET ACCESSOIRES : ruban cache, seaux à peinture, bâtons à mélanger, bac à peinture, rouleau à poils courts ou en mousse (un pour chaque couleur de glacis), pinceau de décorateur de 37 à 50 mm (1 1/2 à 2 po) de largeur, pinceau à pointiller, chiffons propres, solvant minéral, gants

COUCHE DE BASE : peinture à l'huile coquille d'œuf ou satinée

COLORANTS POUR GLACIS : peinture à l'huile pré-mélangée, colorants universels, peinture à l'huile pour artistes

RECETTE DE GLACIS : 1 portion de colorant, 1 portion de vernis à l'huile, 1 portion de solvant minéral

SECTION DE TRAVAIL TYPE : surface ou mur de 60 cm (2 pi) de largeur

SURCOUCHE TRANSPARENTE : non, une surcouche transparente donnerait trop de profondeur à la couleur et masquerait la texture

Le lavis de couleur, comme le pointillé, prend ses racines dans le passé. Mais contrairement au pointillé, qui avait été développé pour cacher les défauts, le lavis de couleur apprécie les imperfections et cherche à en recréer là où elles n'existent pas. Son charme rustique en fait un excellent choix pour décorer les murs dans un style campagnard et apporter un côté chaleureux aux décors contemporains. Il est également la solution au problème de devoir peindre un fini décoratif sur un mur ou un pla-fond texturé. Avec le lavis de couleur, vous n'avez pas besoin d'enlever la texture ou de refaire la surface.

Le lavis de couleur

Cette technique implique l'application répétée de minces couches de glacis, mélangées pour reproduire le même effet de décoloré et d'inégalité que celui des murs peints à la détrempe ou blanchis à la chaux. Le résultat dépend du genre de glacis et des moyens utilisés.

Le lavis de couleur est une technique universelle qui convient autant aux surfaces lisses que texturées, aux plafonds comme aux murs. Le glacis à l'huile utilisé pour le lavis de couleur de ce plafond à la pièce donne un éclat chaleureux.

Le glacis au latex fonctionne tout aussi bien que le glacis à l'huile, parce que vous allez travailler tellement vite que la durée de séchage ne sera pas un problème. Toutefois, parce que vous utilisez un glacis mince, il serait préférable de travailler à deux. La seconde personne pourrait surveiller les gouttes qui tombent et les essuyer à mesure. Le lavis de couleur fait de peinture diluée convient tout aussi bien.

La peinture diluée et le glacis au latex produisent un effet à peu près naturel mais légèrement opaque. Vous devez comprendre que quand vous diluez de la peinture au latex, vous ne la rendez pas transparente pour autant, vous ajoutez simplement plus d'espace entre les molécules des pigments. Un glacis à l'huile produit toutefois un effet transparent qui donne de la chaleur et de la profondeur, contrairement au latex, qui peu paraître plus terne et reflète moins la lumière.

En ce qui concerne les instruments, vous avez le choix entre les pinceaux, les éponges et les chiffons. Les chiffons produisent un effet plus doux, mais un pinceau large vous permet de travailler plus rapidement. Souvent, dans un projet, vous utiliserez les trois en même temps. Quand vous appliquez un lavis de couleur sur un mur, masquez le coin du mur adjacent, la ligne de plafond, le long des boiseries, le contour des portes et des fenêtres. (Voir chapitre 6, « Travaux à l'éponge », page 143)

Une éponge, un pinceau ou un chiffon *peuvent être utilisés pour appliquer le lavis de couleur sur les murs. N'hésitez pas à utiliser les trois.*

Si vous songez à colorer le glacis, la règle d'or pour les lavis de couleur est que les finis sont plus attrayants quand on applique un glacis pâle sur une couche de base pâle, avec toutes les nuances provenant de la même famille de couleur ou de couleurs analogues. Appliquer un glacis léger sur une couche de base foncée peut produire un effet sophistiqué, mais les débutants ont plus de succès avec les couleurs pâles qui offrent moins de contrastes.

Le lavis de couleur est un art libre, cinétique. Les débutants qui l'oublient font l'erreur de se retenir et de ne pas aller assez loin. Comme dans plusieurs finis décoratifs, ne vous laissez pas prendre au piège d'être trop concentré sur une seule section du mur et de ne pas prendre du recul pour voir l'ensemble et corriger les erreurs.

À plusieurs égards, le lavis de couleur est étroitement relié aux travaux à l'éponge. Alors, avant de commencer, prenez le temps de revoir le chapitre 6, « Travaux à l'éponge », qui débute à la page 126.

Le lavis de couleur

- Lavis de couleur : une couleur

- Lavis de couleur : deux couleurs

- Lavis de couleur au pinceau français

LAVIS DE COULEUR :
une couleur

Il est plus facile d'appliquer le fini sur une couche de base légèrement texturée, qui facilite l'adhérence. Dans cet exemple, un glacis au latex a été appliqué sur une couche de base mate au latex pour produire ce fini voilé légèrement texturé. La texture vient premièrement du fait que le glacis a été appliqué à l'éponge, puis retouché au pinceau pour le faire pénétrer en huit mouvements.

Coup de maître

Le lavis de couleur étant essentiellement un glacis dilué dans l'eau, vous avez toute liberté pour être plus aventureux dans votre choix de couleur. Bien que les débutants préfèrent la sécurité en choisissant des couleurs pâles, il n'y a aucun mal à essayer une approche plus audacieuse en appliquant une couleur vive qui, diluée, paraîtra moins intense. Si vous n'aimez pas le résultat, vous n'aurez qu'à éponger par-dessus (une fois sec) avec une nuance plus pâle de la même couleur.

Comment appliquer un lavis de couleur

1 Mélangez le glacis avec la couleur désirée et à la consistance voulue. Qu'il soit mince mais pas coulant ! Versez une petite quantité dans le bac à peinture. Refermez le contenant pour ne pas en renverser.

2 Utilisez un pinceau ou un rouleau pour appliquer le glacis sur la couche de base, et allez-y de trois séries de mouvements entrecroisés. Premièrement, des traits verticaux de haut en bas ; deuxièmement, des traits horizontaux de gauche à droite ; et troisièmement, des traits verticaux de haut en bas. Cela fixe le glacis.

3 Défaites le glacis immédiatement en lui donnant de la texture avec une éponge légèrement humectée.

Traînez légèrement l'éponge en la roulant et en tapotant la surface. Lavez l'éponge au besoin pour éviter qu'elle ne regorge de glacis.

4 *Avec un pinceau pour vernis, adoucissez immédiatement le glacis restant en formant des huit et en alternant, tout en touchant à peine la surface pour ne pas laisser de traces de pinceau. Cela atténue les traits et resserre la texture dans le glacis.*

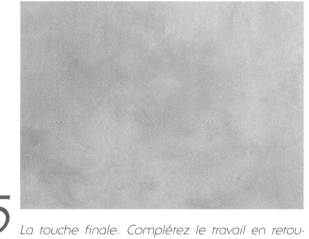

5 *La touche finale. Complétez le travail en retouchant légèrement le glacis avec un pinceau sec pour ajouter une touche rustique.*

P R O C É D É

LAVIS DE COULEUR : UNE COULEUR

NIVEAU D'HABILETÉ : intermédiaire

RECOMMANDÉ POUR : grands murs plats, incluant ceux à surface texturée, planchers, dessus de table et dessus de comptoir

DÉCONSEILLÉ POUR : plafonds, planchers ou autres surfaces ornées de reliefs et moulures complexes

PAIRES DE MAINS REQUISES : 1 à 3, selon la taille de la surface

INSTRUMENTS ET ACCESSOIRES : ruban cache, seaux à peinture, bâton à mélanger, bac à peinture, pinceau de décorateur de 75 mm (3 po) de largeur ou rouleau à poils courts ou en mousse, pinceau à teinture, éponge de mer, seaux d'eau propre pour nettoyer l'éponge, chiffons propres, gants

COUCHE DE BASE : peinture au latex

COLORANTS POUR GLACIS : peinture mate au latex pré-mélangée, acrylique pour artistes ou colorants universels

RECETTE DE GLACIS : 1 portion de colorant, 1 portion de glacis acrylique, 2 ou 3 portions d'eau

SECTION DE TRAVAIL TYPE : surface ou mur de 60 cm (2 pi) de largeur

SURCOUCHE TRANSPARENTE : optionnelle

LAVIS DE COULEUR : deux couleurs

C'est la technique de lavis que les gens connaissent le plus. Elle requiert un glacis à l'huile. Parce que vous appliquerez plus d'une couleur, vous aurez besoin de plus de temps pour terminer le travail. La peinture au latex sèche trop rapidement pour ce procédé.

Cette technique se fait à l'éponge et crée une impression de nuages tout en douceur et profondeur. Pour réussir cet effet, choisissez des couleurs de glacis qui se rapprochent. Dans cet exemple, deux tons de bleu ont été choisis, le premier plus près du vrai bleu, le second comme version de gris-bleu, et ont été appliqués sur une couche de base au latex blanc frais. La couche de base doit être complètement sèche avant d'appliquer le glacis.

Comment appliquer un lavis de couleur avec deux couleurs

1 Mélangez les glacis avec les couleurs désirées et à la consistance voulue. Qu'ils soient dilués mais pas coulants ! Versez une petite quantité de chaque couleur dans le bac à peinture. Refermez le contenant pour éviter l'évaporation du solvant.

2 Appliquez la couleur la plus pâle sur le mur en utilisant une éponge humide et travaillez en diagonale sur la surface. Appliqués des traits détachés au hasard. Couvre à peu près 60% de la surface du mur. Prenez du recul et vérifiez le travail. Les traits doivent être équilibrés et 40% de la couche de base doit transparaître à cette étape.

3 Avec une nouvelle éponge humide, employez la même technique pour appliquer immédiatement le glacis plus foncé. Appliquez quelques traits sur le premier glacis, d'autres sur les endroits intouchés. 15% de la couche de base apparaît à la fin de cette étape.

4 *Mélangez immédiatement la couleur avec une autre éponge humide propre. Tracez légèrement les mêmes figures de huit qu'à l'étape 4 de « Lavis de couleur : une couleur », page 179. Le trait doit à peine effleurer la surface. Continuez le travail jusqu'à ce que vous soyez revenu au degré de douceur voulu.*

5 *La touche finale. Remarquez l'effet de nuages et notez que seulement 10 à 15% du blanc de base transparaît.*

PROCÉDÉ

LAVIS DE COULEUR : DEUX COULEURS

NIVEAU D'HABILETÉ : intermédiaire

RECOMMANDÉ POUR : grands murs plats, incluant ceux à surface texturée, planchers, dessus de table et dessus de comptoir

DÉCONSEILLÉ POUR : toutes les petites surfaces et les surfaces ornées de reliefs et moulures complexes

PAIRES DE MAINS REQUISES : 1 à 3, selon la taille de la surface

INSTRUMENTS ET ACCESSOIRES : ruban cache, seaux à peinture, bâton à mélanger, 2 bacs à peinture, 2 à 4 éponges de mer, chiffons propres, solvant minéral, gants

COUCHE DE BASE : apprêt au latex

COLORANTS POUR GLACIS : peinture à l'huile pré-mélangée, colorants universels ou peinture à l'huile pour artistes

RECETTE DE GLACIS : 1 portion de colorant, 1 portion de vernis à l'huile, 2 à 3 portions de solvant minéral

SECTION DE TRAVAIL TYPE : surface ou mur de 60 cm (2 pi) de largeur

SURCOUCHE TRANSPARENTE : optionnelle. Utilisez une surcouche fini mat, si vous voulez.

Lavis de couleur au pinceau français

Ce fini requiert seulement de la peinture que l'on applique et que l'on travaille au pinceau (pas de glacis). C'est la seule des techniques de lavis de couleur qui nécessite de la peinture à part entière et aucun glacis. Elle produit une texture vieillie et tachetée, et, de toutes les techniques de lavis de couleur, c'est celle qui est la plus récupérable : le fini est facile à retoucher si vous avez commis une erreur ou avez oublié un coin.

Le lavis de couleur au pinceau français ressort davantage quand il est exécuté avec un assortiment de couleurs délicates. Dans cet exemple, on a utilisé trois couleurs, un blanc chaud, un orangé léger et un orangé moyen, appliquées sur une couche d'apprêt blanc chaud.

Vous pouvez utiliser la peinture non diluée, directement du contenant, ou l'alléger légèrement en ajoutant 10% d'eau. Parce que la première couche est une peinture au latex blanc chaud, vous n'avez pas besoin d'appliquer de couche de base. Vous pouvez également commencer sur des murs recouverts de rien d'autre qu'un apprêt blanc ou d'un scellant.

Gardez la surface humide jusqu'à la fin. Avec ce fini, c'est la clef du succès. Parce que vous utilisez de la peinture au latex, vous aurez sans doute besoin d'aide. Sinon, ajoutez un retardateur à la peinture ou gardez votre pinceau mouillé.

Comment appliquer un lavis de couleur au pinceau français

1 *Si vous créez vos propres couleurs, mélangez les peintures dans les teintes désirées. Diluez les peintures en ajoutant 10% d'eau au besoin, ne les laissez pas devenir trop liquides. Versez une petite quantité de chaque couleur dans le bac à peinture. Refermez le contenant pour ne pas en renverser.*

2 *En travaillant à un angle de 45 degrés, distribuez au hasard la peinture blanche au latex sur la surface avec un pinceau de décorateur. N'ayez pas peur de laisser transparaître l'apprêt ou la couche de base.*

3 *Appliquez promptement la couleur la plus foncée. Avec un nouveau pinceau, appliquez quelques-unes des autres couleurs,*

4 *Toujours avec le même pinceau et la même technique, appliquez immédiatement la couleur la plus pâle.*

5 Prenez la peinture blanche au latex et le pinceau que vous avez utilisé à l'étape 2, et appliquez quelques traits de peinture au hasard. Avec un nouveau pinceau, travaillez la surface à un angle de 45 degrés pour adoucir et mélanger les couleurs. Effleurez la surface avec le bout du pinceau. Vous pouvez le faire en formant des huit, si vous voulez. Continuez le travail jusqu'à l'obtention de l'effet molletonné désiré, mais n'oubliez pas que plus vous travaillez la peinture, plus vous la mélangez, plus les couleurs seront pâles.

6 La touche finale : une texture molletonnée et diffuse. Avec cette technique, ne redoutez ni les défauts ni les erreurs. Ils ne se verront plus une fois le travail terminé.

PROCÉDÉ

LAVIS DE COULEUR AU PINCEAU FRANÇAIS

NIVEAU D'HABILETÉ : intermédiaire à avancé

RECOMMANDÉ POUR : grands murs plats et plafonds, incluant surfaces texturées, planchers, dessus de table et dessus de comptoir

DÉCONSEILLÉ POUR : toutes les petites surfaces et les surfaces ornées de reliefs et de moulures complexes

PAIRES DE MAINS REQUISES : 1 à 3, selon l'ampleur du projet

INSTRUMENTS ET ACCESSOIRES : ruban cache, seaux à peinture, 3 bacs à peinture, 3 pinceaux de décorateurs de 37 mm (2 1/2 po) de largeur, seau d'eau propre pour mouiller la surface, éponge, chiffons propres, gants

COUCHE DE BASE : une couche de scellant ou d'apprêt, ou peinture au latex si vous préférez

PEINTURE : peinture au latex pré-mélangée ou mélange maison fait avec des colorants universels ou acryliques pour artistes. Utilisez la peinture telle quelle ou diluée avec 10% d'eau

SECTION DE TRAVAIL DE TYPE : surface ou mur de 60 cm (2 pi) de largeur

SURCOUCHE TRANSPARENTE : optionnelle

En un mot, l'effet tacheté est une méthode où l'on applique la couleur au hasard sur une surface. Peut-être que vous pensez aux travaux que vous faisiez enfant dans les cours d'arts plastiques. Il est vrai que cette technique est élémentaire, mais elle peut être également sophistiquée et n'avoir aucun rapport avec la peinture que votre mère éclaboussait joliment sur la porte du réfrigérateur.

Le fini du tacheté présente un éventail de couleurs qui va des flocons de couleurs très bril-lantes et franches aux couleurs plus fluides, créées par des taches de solvant, qui diffusent un effet ressemblant à des pierres semi-précieuses comme les lapis-lazuli. Quel que soit son apparence, le tacheté offre de multiples options pour décorer à peu près tout, en commençant par les meubles et les murs. Le tacheté positif en particulier semble incroyablement facile à faire et c'est le cas d'une certaine façon, mais c'est une technique qui demande une bonne planification, des traits constants et beaucoup de temps.

Le tacheté n'est pas une mince tâche. C'est particulièrement vrai pour les grandes surfaces comme les murs.

La technique standard du tacheté consiste à remplir un pinceau à tacheter (un pinceau à ceinture ovale fera aussi bien l'affaire) de peinture ou de glacis, et de taper la férule du pinceau contre un bâton ou le manche d'un autre pinceau, afin que des petites taches de couleur rejaillissent sur une surface. Un autre procédé aussi courant consiste à remplir de peinture ou de glacis un pinceau à poils raides, et à ébouriffer les poils avec la lame d'une spatule ou avec votre pouce. Ce geste projette sur la surface une douche de minuscules gouttelettes de couleur. Passer une brosse à dents sur un crible donne le même résultat; c'est idéal pour les petites surfaces, un encadrement photo par exemple. (Vous aurez également besoin d'une éponge de mer pour appliquer ou enlever une partie du glacis.)

Passer en revue ces techniques soulève une question : pourquoi ne pas utiliser un fusil à air comprimé ou un vaporisateur à peinture ? Vous le pouvez. Même si ces outils font le travail.

Coup de maître

Plus votre projet prévoit de couches d'application, plus il devient complexe et sophistiqué. Essayez ceci : appliquez une technique négative à l'éponge sur la couche de base. Une fois sèche, apposez un dessin au pochoir ou une bordure sur la surface ou le mur. (Voir chapitre 13, « Pochoir », page 207) Laissez sécher, puis tachetez une ou deux couleurs douces par-dessus votre dessin.

rapidement et permettent de contrôler la force du jet de peinture ou de glacis, vous devez quand même contrôler le flux et les mouvements sur la surface. Et vous devez masquer les zones adjacentes ou les surfaces pour les protéger contre les gouttes de peintures qui flottent dans l'air. Si vous voulez utiliser un vaporisateur, louez-le et exercez-vous, puis exercez-vous encore. Ce n'est pas aussi facile qu'on pourrait le croire.

Toutes les techniques de tacheté font des dégâts. Vous devez recouvrir tout ce qui est à la vue et que vous ne voulez pas tacheter, incluant vous-même.

Le résultat final dépend de plusieurs choses : le choix de couleur, l'épaisseur du glacis et de la peinture, et le rythme du travail. Préparez un glacis de consistance moyenne afin que la peinture se vaporise en fins flocons plutôt qu'en taches. Avant d'entamer un grand projet, et après avoir fait des expériences et vous être entraîné jusqu'à entière satisfaction, exécutez plusieurs petits projets. Cette période d'apprentissage vous aidera à trouver la distance à prendre devant une surface pour produire les différentes grosseurs de points. La distance est importante parce que certains projets exigent une uniformité et d'autres une variété dans la grosseur des points.

L'effet tacheté

- Application de l'effet tacheté : quatre couleurs

- Détacheter

Le côté pelucheux d'une éponge de mer (à droite) et le pinceau à pointiller (page précédente) sont les instruments à utiliser pour créer l'effet tacheté.

Application de l'effet tacheté : quatre couleurs

L'effet tacheté crée de belles textures d'une profondeur étonnante. On l'utilise parfois pour donner un aspect antique. Dans cet exemple, il restitue l'étonnante beauté du lapis-lazuli poli. Pour obtenir cet effet, on a utilisé des glacis de consistance moyenne, bleu foncé, bleu, blanc et or, tachetés sur une couche de base bleue. Mais vous pouvez prendre les combinaisons de couleurs que vous voulez, les possibilités sont infinies.

Contrairement à plusieurs autres techniques de peinture décorative, l'effet tacheté requiert une peinture au latex haute viscosité, pour quelques-uns des glacis. Diluez la peinture dans un peu d'eau pour l'alléger sans qu'elle devienne coulante. Cette consistance permet à la peinture de se détacher facilement du pinceau pour projeter de fins flocons ou de fins points. La peinture haute viscosité fournit également l'opacité nécessaire pour faire ressortir les points de couleur de la couche de base.

Commencez sur une couche de base bien sèche. Vous voyez ici un apprêt de peinture au latex bleu moyen, qui convient bien à de petites sections de mur et à la plupart des accessoires. Pour des meubles, utilisez une couche de base au latex coquille d'œuf. L'effet tacheté produit une légère surélévation en surface, qui peut être moins jolie sur un meuble. Dans ce cas, nivelez le fini en y appliquant plusieurs couches de vernis.

Comment obtenir l'effet tacheté avec quatre couleurs

1 Recouvrez toutes les surfaces adjacentes. Mélangez le glacis avec la couleur désirée et à la consistance voulue. Versez une petite quantité dans le bac à peinture et refermez le contenant. Appliquez la couche de base du glacis avec un rouleau ou un pinceau.

2 Avec le côté pelucheux de l'éponge et en utilisant la technique décrite dans « Travaux à l'éponge », page 129, tamponnez la surface pour récupérer à peu près 50% du glacis. Laissez sécher le glacis.

3 Diluez la peinture avec de l'eau. Imbibez le pinceau, enlevez l'excédent de peinture et frappez le bâton contre la férule du pinceau. Tachetez 40% de la surface et laissez sécher. Refaites la même opération avec la seconde couche, en laissant transparaître à peu près 40% de la couche de base. Laissez sécher.

4   Refaites l'étape 3 avec la troisième couche de ta-cheté. Laissez transparaître 30% de la couche de base. Laissez sécher et répétez l'étape 3 avec une peinture au latex de couleur or, légèrement diluée. Étalez cette der-nière couche de façon clairsemée pour que le doré donne sim-plement un accent. Laissez sécher l'entière surface.

5   La touche finale. L'ensemble bien agencé de ces points de couleur procure une sensation de mystère et de grande profondeur. Appliquer une surcouche avec un fini lustré approfondit la couleur et ajoute de l'éclat.

P R O C É D É

APPLICATION DE L'EFFET TACHETÉ : QUATRE COULEURS

NIVEAU D'HABILETÉ : débutant à intermédiaire

RECOMMANDÉ POUR : petites et moyennes surfaces, comme les murs d'appoint, les meubles et les accessoires

DÉCONSEILLÉ POUR : plafonds et autres grandes surfaces

PAIRES DE MAINS REQUISES : 1

INSTRUMENTS ET ACCESSOIRES : papier cache, bâches, seaux à peinture, bâton à mélanger, bac à peinture, rouleau à poils courts ou pinceau de taille adéquate, éponge de mer, 4 pinceaux à tacheter, bâton de bois, chiffons propres, eau

COUCHE DE BASE : apprêt au latex

COLORANT POUR GLACIS : peinture mate au latex pré-mélangée coquille d'œuf, acrylique pour artistes ou colorants universels

RECETTE DE GLACIS : première couche de glacis : 1 portion de colorant, 1 portion de glacis au latex, 1 portion d'eau. Autres couches de glacis : peinture au latex pré-mélangée et légèrement diluée en ajoutant 10% d'eau

SECTION DE TRAVAIL TYPE : surface ou mur de 60 cm (2 pi) de largeur

SURCOUCHE TRANSPARENTE : optionnelle

Détacheter

Cette méthode négative requiert un solvant minéral pour tacheter une surface couverte de glacis à l'huile transparent, afin de donner l'aspect soyeux de l'eau. Le truc est d'ajouter le solvant au bon moment, quand le glacis commence à sécher, juste avant le point de non-retour. (Employez un solvant minéral ou du diluant à peinture plutôt que du kérosène ou de la térébenthine, car ces derniers travaillent moins bien pour dégager la surface.)

Vous voudrez peut-être un équipier, mais l'effet est plus joli sur des petites et moyennes surfaces, que vous pouvez traiter seul. Autre conseil : employez une couleur de couche de base et un glacis à l'huile de même teinte avec une légère différence de ton. Dans cet exemple, un glacis à l'huile gris a été appliqué sur une base au latex mate d'un gris plus pâle. Le glacis est simplement une peinture à l'huile diluée avec du solvant. Vous pouvez également utiliser une peinture et un glacis au latex, auquel cas vous utili-serez de l'alcool dénaturé pour détacheter. Travaillez rapidement, parce que l'alcool réagit sur les éléments de la couche de base.

Comment détacheter

1   Mélangez le glacis avec la couleur désirée et à la consistance voulue. Qu'il soit très transparent. Versez une petite quantité dans le bac à peinture. Refermez le contenant pour éviter l'évaporation du solvant.

2   Appliquez le glacis à l'éponge en travaillant à un angle de 45 degrés. Ensuite, utilisez la technique de tampon décrite dans l'introduction du chapitre 6 « Travaux à l'éponge », page 129 ; travaillez le glacis avec l'éponge. Laissez le glacis prendre jusqu'à ce qu'il devienne collant.

3   Éclaboussez la surface avec du solvant minéral, en utilisant la technique décrite dans l'introduction (page 186), puis enlevez délicatement le solvant avec un chamois chiffonné dans votre main. Tenez le chamois et appliquez-le de la façon décrite dans l'introduction de « Travaux à l'éponge », page 129. Attention à la pression que vous exercez et ne déplacez pas le chamois en rond sur la surface. Vous voulez enlever juste assez de solvant et de glacis pour créer un effet de filigrane. Laissez sécher le glacis.

4 La touche finale. Le lendemain, appliquez une surcouche de glacis, si vous le souhaitez. Étalez sur la surface, puis retirez avec le coton chiffonné en employant la technique décrite dans l'introduction de « Travaux au chiffon », page 142. Séchez le glacis avec un sèche-cheveux électrique. Complétez avec une surcouche transparente pour approfondir la couleur.

PROCÉDÉ

DÉTACHETER

NIVEAU D'HABILETÉ : débutant avancé à intermédiaire

RECOMMANDÉ POUR : petites et moyennes surfaces, comme les murs d'appoint, les éléments architecturaux, les meubles et les accessoires

DÉCONSEILLÉ POUR : plafonds, planchers et grandes surfaces

PAIRES DE MAINS REQUISES : 1 ou 2, au choix

INSTRUMENTS ET ACCESSOIRES : ruban cache, seaux à peinture, bâtons à mélanger, bac à peinture, éponges de mer, pinceau à tacheter, chamois, chiffons propres, solvant minéral, sèche-cheveux électrique

COUCHE DE BASE : apprêt ou peinture au latex coquille d'œuf

COLORANTS POUR GLACIS : peinture à l'huile pré-mélangée, colorants universels ou peinture à l'huile pour artistes

RECETTE DE GLACIS : 1 portion de colorant, 1 portion de solvant minéral. Pas de glacis à l'huile

SURCOUCHE DE GLACIS : 1 portion de colorant, 9 portions de solvant

SECTION DE TRAVAIL TYPE : surface de 0,28 m² (3 pi²)

SURCOUCHE TRANSPARENTE : oui

Cette technique est également appelée *strié* à cause de ses lignes. En peinture décorative, l'effet de peigne signifie tracer de minces lignes de couleur sur une surface. C'est une technique classique pour adoucir ou accentuer une sur-face avec des nuances subtiles et ce, depuis des siècles. Elle est probablement issue de la technique du faux-bois. C'est une tech-nique particulièrement jolie sur les panneaux peints et les garnitures.

L'effet de peigne

L'effet de peigne est une technique négative, qui consiste à faire glisser un outil à travers un glacis transparent pour en retirer une partie et donner à la surface un ensemble agencé de traits. Ce sont habituellement de fines stries verticales, mais elles peuvent également être horizontales, diagonales, courbées, grasses ou fines.

Ce qui fait le charme de l'effet de peigne, c'est l'inégalité des lignes et la variété des dessins. Dans cette pièce, le haut du mur a été traité avec la technique du panier tressé.

Quelle que soit la forme des lignes, elles se tracent en retirant une partie de glacis avec un outil qui peut être un tampon de laine d'acier, un pinceau à poils durs, une raclette encochée, un peigne à grener, un peigne à cheveux, un morceau de carton ou tout autre objet pratique. Ce chapitre présente la technique avec les trois instruments les plus courants : tampon de laine d'acier, pinceau et raclette encochée.

Quand vous aspirez à créer l'effet de peigne, tressé ou en sillons, vous voulez que les lignes soient sinon parfaites, au moins ordonnées. Cela représente deux défis : faire des lignes qui soient vraiment verticales ou horizontales et continues d'un bout à l'autre. Quel que soit l'outil que vous utilisez, assurez-vous que les traits sont bien droits de haut en bas ou de gauche à droite. Cette technique est presque impossible à main libre, surtout sur de grandes surfaces, ce qui signifie que vous avez besoin de points de repère. Vous pouvez tracer de faibles lignes à intervalles réguliers sur toute la surface en vous servant d'un cordeau avec une couleur de craie très pâle (en espérant que l'effet de peigne cachera les traits) ou utiliser un niveau et coller des sections de ruban cache à suivre.

Si vous ne voulez pas faire beaucoup de traits sur la surface et que vous avez très bon œil, placez le niveau sur le mur, faites glisser votre outil en parallèle et allez-y à main libre. Retirez le niveau et tracez les traits suivants à main levée en vous alignant sur la bordure des traits précédents et en

Un pinceau à poils durs, *une raclette encochée et une laine d'acier sont quelques-un des instruments utilisés pour glisser sur le glacis humide et créer l'effet de peigne.*

traçant de fines lignes pâles ou foncées selon le modèle. Après quelques traits, remettez le niveau en place et tracez en parallèle d'autres lignes de repère. Continuez ainsi sur toute la surface. Pour les petites surfaces, il est possible de tracer des traits droits simplement en vous basant sur le rebord de l'objet.

Peu importe la méthode, arrêtez-vous après quelques traits pour vérifier l'alignement. Les traits n'ont pas à être parfaits, mais presque.

Vous voudrez sans doute avoir des lignes continues, ce qui implique que vous ne pouvez vous arrêter au milieu du tracé. Vous devez continuer votre geste, de haut en bas ou de côté. Ce n'est pas évident sur une grande surface comme un mur. Un partenaire peut vous aider auquel vous passerez votre outil quand vous aurez atteint la limite de votre portée. Utilisez un escabeau quand vous appliquez l'effet de peigne à la verticale. Descendez marche par marche jusqu'au sol jusqu'à ce que votre outil ait atteint le bas du mur.

Pour obtenir l'effet de peigne, il faut appliquer un glacis légèrement teinté, presque transparent, sur une couche de base de couleur peu contrastée. La combinaison typique est d'appliquer un glacis pâle sur une base blanche ou neutre ou un glacis plus foncé mais très transparent sur une couche de base pastel issue de la même gamme de couleur. Les deux combinaisons produisent un effet ton sur ton. Il est possible de faire plus de combinaisons de couleurs, mais il faut beaucoup de coordination. Les contrastes de couleurs subtiles produisent un effet lustré et lumineux comme de la soie. Plus il y a de contraste entre la couche de base et le glacis, plus les rayures deviennent apparentes et plus les défauts ressortent. Attendez d'avoir pris de l'expérience avant de vous attaquer à des projets audacieux.

Utilisez au choix de la peinture à l'huile ou au latex comme couche de base, mais toujours un glacis à l'huile pour l'effet de peigne. Le glacis donne la transparence et le temps de travail dont vous avez besoin pour réussir votre entreprise. Sur les moulures qui ont déjà un fini émaillé, préparez un glacis spécial en ajoutant quelques gouttes de colorant dans votre glacis à l'huile au fini satiné.

L'effet de peigne

- ### Effet de peigne avec laine d'acier

- ### Effet de peigne avec pinceau à poils durs

- ### Effet de peigne avec raclette encochée

Effet de peigne avec laine d'acier

Faire glisser un tampon de laine d'acier sur un glacis produit une surface finement texturée. Premièrement, vous devez appliquer le glacis en trois mouvements : vertical, horizontal et encore vertical, en mouvements entrecroisés. L'effet de peigne avec une laine d'acier ajoute de la qualité à la texture. C'est un fini très attrayant sur les panneaux et les boiseries. Dans cet exemple, une couche de base blanche est recouverte d'un glacis à l'huile sienne brûlé, traité avec une laine d'acier #00.

Coup de maître

S'il est trop difficile de faire un mouvement ininterrompu, commencez en haut et descendez votre tampon le plus bas que vous pouvez en dessous de la ligne du niveau des yeux. Atténuez la fin du trait. Ensuite, en partant du bas, remontez votre tampon jusqu'où vous vous étiez arrêté. Atténuez l'endroit où les deux traces se rejoignent. Pour camoufler davantage, faites osciller les stries chaque fois que vous arrivez à un point de jonction.

Comment obtenir l'effet de peigne avec laine d'acier

1 Mélangez le glacis avec la couleur désirée et à la consistance voulue. Versez une petite quantité dans le bac à peinture. Refermez le contenant pour éviter l'évaporation du solvant.

2 Appliquez uniformément le glacis avec un rouleau en trois mouvements entrecroisés. Premièrement de haut en bas, deuxièmement de chaque côté, puis encore de haut en bas. Cela met en place le glacis et crée une sous-texture.

3 Tenez votre laine d'acier à un angle de 45 degrés, tel qu'indiqué. Seul le rebord doit toucher la surface. Faites-la glisser en ligne droite en descendant sur le glacis. C'est l'unique cas où il n'est pas nécessaire de faire un trait continu de haut en bas. Allégez la pression du tampon en arrivant au bas du mur afin de ne pas laisser de trace évidente. À mesure que vous travaillez, roulez et essuyez sans cesse votre tampon. Quand le tampon devient trop imbibé de glacis, prenez-en un neuf. Gardez toujours les extrémités humides.

4 Arrêtez-vous souvent pour vérifier l'alignement avec une règle ou un niveau. Vous voulez des lignes raisonnablement droites. Enlevez à peu près 50% du glacis. Laissez sécher le glacis.

5 La touche finale. Une fine texture qui ressemble à de la soie brute. Laisse transparaître 50% de la couche de base. Le mur resplendit de couleurs lumineuses.

PROCÉDÉ

EFFET DE PEIGNE
AVEC LAINE D'ACIER

NIVEAU D'HABILETÉ : débutant avancé à intermédiaire

RECOMMANDÉ POUR : surfaces plates, petites ou grandes

DÉCONSEILLÉ POUR : surfaces inégales, comportant des reliefs et des garnitures complexes

PAIRES DE MAINS REQUISES : 1 ou 2, au choix

INSTRUMENTS ET ACCESSOIRES : règle ou niveau, crayon à mine fine ou cordeau à tracer avec poids de plomb et craie pâle, ruban cache, seaux à peinture, bac à peinture, rouleau à poils courts ou en mousse, tampons de laine d'acier #00, chiffons propres, gants

COUCHE DE BASE : apprêt au latex (la peinture coquille d'œuf offre plus de texture graphique, mais l'apprêt au latex est plus pratique pour les débutants)

COLORANTS POUR GLACIS : peinture à l'huile pré-mélangée ou colorants universels

RECETTE DE GLACIS : 1 portion de colorant, 1 portion de glacis et un peu moins d'une portion de solvant minéral, pour un glacis consistant

SECTION DE TRAVAIL TYPE : surface ou mur de 60 à 90 cm (2 - 3 pi) de largeur

SURCOUCHE TRANSPARENTE : optionnelle

Effet de peigne avec pinceau à poils durs

Cette méthode traditionnelle d'effet de peigne produit un fini lustré et profond. Il faut un glacis à l'huile très transparent, plusieurs tons plus foncés que la couche de base. Faites glisser un pinceau à poils durs sur le glacis pour en enlever une partie en créant de fines rayures. Cette technique fonctionne mieux quand le glacis et la couche de base sont de couleurs rapprochées.

Comment obtenir l'effet de peigne avec un pinceau à poils durs

1 Mélangez le glacis de la couleur et à la consistance voulues et versez une petite quantité dans le bac à peinture. Refermez le contenant pour éviter l'évaporation du solvant.

2 Appliquez le glacis au pinceau en trois mouvements entrecroisés : premièrement de haut en bas deuxièmement de chaque côté, puis encore de haut en bas. Cela fixe le glacis.

Un effet tartan appliqué avec la technique effet de peigne est très simple à obtenir et présente des teintes contrastantes. Pour recréer l'effet démontré, appliquez la couche de base, laissez sécher, puis faites une grille en utilisant des bandes de ruban cache. Appliquez le glacis en série de larges bandes verticales espacées également et passez un pinceau propre sur le glacis. Appliquez ensuite une couleur plus foncée de la même teinte de glacis, en série de bandes horizontales espacées également, pour obtenir l'entrecroisement des bandes. Passez un pinceau propre sur le nouveau glacis humide. Quand tout est sec, retirez le ruban cache.

3 *Appliquez un pinceau propre de décorateur contre le mur, tel qu'indiqué, et descendez-le sur le glacis en un mouvement continu. Travaillez de haut en bas. Répétez une fois sur chaque endroit et essuyez le pinceau entre chaque trait. Gardez toujours les extrémités humides.*

4 *La touche finale. Pour obtenir des traits fins, appliquez une seule couche de traits. Pour un effet plus grossier, appliquez une seconde couche de traits de pinceau.*

PROCÉDÉ

EFFET DE PEIGNE AVEC PINCEAU À POILS DURS

NIVEAU D'HABILETÉ : débutant avancé à intermédiaire

RECOMMANDÉ POUR : surfaces plates de petite ou moyenne tailles, verticales ou horizontales

DÉCONSEILLÉ POUR : plafonds, planchers ou autres surfaces ornées de reliefs et moulures complexes

PAIRES DE MAINS REQUISES : 1

INSTRUMENTS ET ACCESSOIRES : cordeau avec plomb et craie de couleur pâle ou niveau, ruban cache, seaux à peinture, bac à peinture, plusieurs pinceaux de décorateur de 75 mm (3 po) de largeur, chiffons propres, solvant minéral, gants

COUCHE DE BASE : peinture au latex

COLORANTS POUR GLACIS : peinture à l'huile pré-mélangée, colorants universels ou peinture à l'huile pour artistes

RECETTE DE GLACIS : 1 portion de colorant, 1 portion de glacis et un peu moins d'une portion de solvant minéral, pour un glacis consistant

SECTION DE TRAVAIL TYPE : surface ou mur de 60 à 90 cm (2 - 3 pi) de largeur

SURCOUCHE TRANSPARENTE : optionnelle

Effet de peigne avec raclette encochée

Tous les tracés n'ont pas besoin d'être droits de haut en bas. Vous pouvez les faire en toute liberté, à l'horizontale ou en diagonale, courbés ou droits, aussi gros et aussi petits que vous voulez. Tout ce qu'il vous faut est une raclette encochée du motif de votre choix. Prenez des ciseaux ou un cutter pour découper les échancrures ici et là ou mesurez pour préparer un patron précis. La texture et les motifs qui en résultent font d'agréables dessins.

Vous pouvez également prendre un peigne, ou un tube à grener si vous en avez sous la main, mais un peigne à cheveux fonctionne bien s'il est en plastique.

Fixez une rallonge de 60 cm (2 pi) à votre raclette, ce qui vous permettra de vous éloigner de la surface pour faire glisser votre outil sur le glacis. Il vous sera plus facile de traces des lignes à peu près droites et continues. Si vous le devez, vous pouvez vous arrêter entre les tracés. Nettoyez la raclette entre chaque passe. Encore une fois, la meilleure stratégie est de travailler avec des couleurs peu contrastées, comme dans l'exemple, jusqu'à ce que vous soyez devenu compétent.

Comment obtenir l'effet de peigne avec raclette encochée

1 *Découpez la lame de votre raclette selon le modèle de votre choix. Mélangez le vernis de la couleur et à la consistance voulues et versez une petite quantité dans le bac à peinture. Refermez le contenant.*

2 *Appliquez le glacis au pinceau ou au rouleau en trois mouvements entrecroisés : premièrement de haut en bas, deuxièmement de chaque côté, puis encore de haut en bas. Cela met en place le glacis et crée une sous-texture.*

3 *Appuyez la raclette contre la surface à un angle de 45 degrés tel que démontré, et descendez sur le glacis en un geste continu. Gardez une pression stable sur votre raclette. À chaque nouveau trait, alignez votre raclette avec la ligne la plus prononcée des traits précédents. Laissez sécher le glacis.*

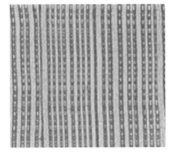

4 *Comme variante, appliquez un motif perpendiculaire superposé en tirant immédiatement des traits horizontaux sur les traits verticaux, tel que démontré. Les traits verticaux apparaissent en sous-texture. Laissez sécher le glacis.*

5 *Les variantes de motifs incluent (dans le sens des aiguilles d'une montre) l'entrecroisé, le panier tressé, la forme libre et les lignes courbées.*

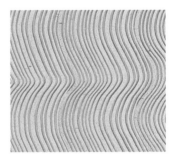

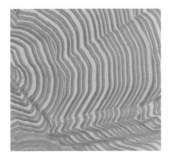

PROCÉDÉ

EFFET DE PEIGNE AVEC RACLETTE ENCOCHÉE

NIVEAU D'HABILETÉ : intermédiaire

RECOMMANDÉ POUR : petites et moyennes surfaces, plates et lisses

DÉCONSEILLÉ POUR : plafonds, planchers, grandes surfaces ou autres surfaces ornées de reliefs et moulures complexes

PAIRES DE MAINS REQUISES : au moins 2

INSTRUMENTS ET ACCESSOIRES : niveau, cordeau avec craie pâle, seaux à peinture, bac à peinture, bâton à mélanger, rouleau à poils courts ou en mousse ou pinceau de décorateur de 75 mm (3 po) de largeur, ciseaux ou cutter, raclette encochée ou peigne à grainage, manche à raclette au besoin, chiffons propres, solvant minéral, gants

COUCHE DE BASE : apprêt au latex

COLORANTS POUR GLACIS : peinture à l'huile pré-mélangée, colorants universels ou peinture à l'huile pour artistes

RECETTE DE GLACIS : 1 portion de colorant, 1 portion de glacis et un peu moins d'une portion de dissolvant minéral, pour un glacis consistant

SECTION DE TRAVAIL TYPE : surface ou mur de 60 cm (2 pi) de largeur

SURCOUCHE TRANSPARENTE : optionnelle

Pouvez-vous imaginer une illusion décorative plus agréable que celle d'un ciel bleu avec de dodus nuages ? Ce fini en trompe-l'œil produit des murs étonnants et des plafonds splendides. Trompe-l'œil est un terme artistique de peinture qui signifie qu'une toile imite tellement bien quelque chose qu'elle a l'air vraie. Bien que l'effet de trompe-l'œil nécessite habituellement l'habileté d'un artiste, les ciels peints sont faciles à faire et si attrayants. Ils sont exécutés en utilisant un pinceau sec à peu près de la même manière que les lavis de couleur au pinceau français, à cette

Créer un effet de ciel

différence près que cette technique-ci requiert de la peinture au latex directement du contenant à la place de glacis dilué. La clef du succès consiste à garder la surface humide jusqu'à la fin, ce qui signifie que vous devez travailler rapidement. Pour com-mencer, appliquez une couche de peinture au latex de couleur blanche et laissez sécher. Seulement deux couleurs sont utilisées pour réussir cette version de base de ce fini.

Les deux couleurs requises pour réaliser cette version de l'effet de ciel sont un vibrant bleu ciel et un blanc cassé.

CRÉER UN EFFET DE CIEL

Un ciel peint apporte douceur et calme dans une chambre de bébé, mais il peut également paraître hautement sophistiqué dans d'autres pièces de votre maison. Tout dépend du mobilier et si vous choisissez ou pas un mélange complexe de couleurs. (Voir Coup de maître, ci-dessous) Commencez à la moitié du mur du haut et remontez vers le plafond pour faire disparaître les limites de la pièce. Rappelez-vous que même s'il s'agit d'une technique facile d'application, peindre au-dessus de sa tête peut être une entreprise épuisante qui peut nécessiter une sorte d'échafaudage.

Coup de maître

Quand vous vous serez fait la main avec cette technique de base en bleu et blanc, essayez des couleurs plus complexes. Essayez un jaune pâle crémeux à la place du blanc, cela ressemblera à un soleil qui pique à travers les nuages. Utilisez un éventail de couleurs — différentes teintes de bleu ou des violets profonds, des verts et des gris pour obscurcir. Pour un plus beau mélange, tamponnez les couleurs jusqu'à ce qu'il ne reste plus de rebords marqués.

Comment peindre un ciel

1 Une fois la couche de base sèche, appliquez la peinture bleu ciel avec un rouleau ou un pinceau. Laissez sécher. En travaillant à un angle de 45 degrés, étalez la peinture blanche au hasard et en courts traits avec un pinceau de décorateur de 100 mm (4 po) de largeur, tel qu'indiqué. Enlevez de la peinture pour qu'elle soit mince à certains endroits et ajoutez-en ailleurs afin de créer un fini inégal. Si vous voulez, imitez le dégradé de couleur que l'on retrouve dans le ciel, en laissant plus de bleu sur le haut des murs et au centre du plafond.

2 Travaillez la peinture pour lui donner un effet tacheté. Ce tacheté vous indiquera où placer vos nuages.

3   *Utilisez un pinceau de décorateur de 50 mm (2 po) de largeur, trempé dans la peinture blanche, pour former les nuages dans les sections pâles. Faites des traits au hasard (tel que démontré) pour adoucir et mélanger les deux couleurs. Soyez libre et ne pensez pas à la forme des nuages comme telle, votre but étant de créer des formes vagues avec un effet ouaté. Poursuivez en ajoutant au pinceau plus de bleu là où vous croyez qu'il en manque, de façon à créer un ensemble. Laissez sécher la surface.*

4   *La touche finale. Pour finir, mélangez 8 portions d'eau avec 1 portion de peinture blanche pour faire un mince lavis, que vous appliquerez par-dessus toute la surface, et laissez sécher. Cela crée un effet adoucissant qui brise le bleu et intègre le tout.*

P R O C É D É
CRÉER UN EFFET DE CIEL

NIVEAU D'HABILETÉ : intermédiaire avancé à avancé

RECOMMANDÉ POUR : grandes surfaces plates comme murs et plafonds lisses

DÉCONSEILLÉ POUR : planchers ou autre sufaces ornées de reliefs et moulures complexes

PAIRES DE MAINS REQUISES : 1

INSTRUMENTS ET ACCESSOIRES : seaux à peinture, bac à peinture, bâton à mélanger, rouleau, pinceau de décorateur de 100 mm (4 po) de largeur et un autre de 50 mm (2 po) de largeur, seau d'eau propre, chiffons propres, gants

COUCHE DE BASE : peinture au latex mate, blanc chaud

COUCHE DE FINITION : peinture au latex pré-mélangée, bleu et blanc cassé

SURCOUCHE DE GLACIS : 1 portion de latex blanc cassé mat et 8 portions d'eau

SECTION DE TRAVAIL TYPE : plafond ou mur de 60 cm (2 pi) de largeur

SURCOUCHE TRANSPARENTE : non

Quand vous pensez pochoir, les mots *simple*, *universel*, *structuré*, *stylisé* et *décoratif* vous viennent tout de suite en tête. Ce moyen facile d'ajouter des motifs sur un mur, un plancher, des meubles ou des tissus est un procédé répétitif pour transposer un dessin encore et encore. Mais il y a beaucoup plus dans cette forme d'art traditionnel que le style colonial ou les motifs artisanaux auxquels cet art est habituellement associé dans ce pays.

Travaux au pochoir

La technique du pochoir remonte à des temps anciens. On retrouve des œuvres au pochoir dans les pyramides d'Égypte et dans les anciennes villas de Pompéi, autant que dans les maisons du début de la colonie aux États-Unis. Le pochoir possède également des racines plus jeunes, avec une technique renouvelée au tournant du vingtième siècle et utilisée en artisanat, en art nouveau et en art déco. Cette technique reprend vie avec le début de ce nouveau siècle.

__Les pochoirs__ peuvent être utilisés pour reproduire des motifs architecturaux ou d'autres décorations peintes sur des surfaces. Ce palmier peint au pochoir sur le mur à côté de la baignoire donne l'impression d'une oasis.

Le motif au pochoir *peint sur ce plancher a été appliqué pour imiter la céramique.*

Ne craignez pas de laisser aller votre imagination quand vous peignez au pochoir sur les murs ou d'autres surfaces, incluant les planchers de bois, les tapis, les meubles, les tissus et les accessoires. Là où vous pouvez mettre de la peinture, vous pouvez utiliser les pochoirs. Les motifs peuvent être simples ou complexes, autant que les nuances de couleur avec lesquelles vous les appliquez. D'habitude, on applique les pochoirs avec une ou deux couleurs, mais il existe des modèles complexes qui demandent jusqu'à 25 couleurs. Ces dessins très compliqués peuvent être fastidieux si vous les faites vous-même. Ils prennent un temps fou à appliquer et leur complexité les rend difficiles à peindre parce que chaque couleur nécessite un pochoir différent. Ce genre de motif compliqué paraît mieux quand il est gros. Si votre maison ne peut convenir à des motifs de très grande taille, il vaut mieux vous en tenir à des modèles plus simples, avec deux ou trois couleurs, plus une couleur neutre, jusqu'à ce que vous soyez passé expert en la matière. Si vous n'avez pas cette patience, vous pouvez graduellement améliorer votre surface au pochoir en ajoutant à votre modèle simple des dessins plus compliqués au fil du temps et créer vos propres patrons. Même les artistes professionnels travaillent pendant des semaines, parfois en équipe, pour obtenir la subtilité des multicouches de ces dessins sophistiqués. Comme débutant, donnez-vous le temps de bien développer les motifs de votre pochoir.

Le succès d'un beau pochoir réside dans son patron. Étudiez attentivement les différents patrons et vous réaliserez que bien souvent les plus simples sont les plus attrayants. Gardez cela en mémoire quand vous choisirez celui qui convient le mieux à votre décor. Pour le trouver, plusieurs options s'offrent à vous. Les magasins de matériel d'artiste ou d'artisanat offrent une grande variété de pochoirs pré-coupés. Ils vendent également des livres de patrons de pochoir, qui présentent une variété de formes et de dessins à choisir. Si vous trouvez celui qui vous convient, calquez-le. Vous pouvez également dessiner votre propre modèle. Vous trouverez des tas d'idées dans les livres d'art, les revues de décoration, les expositions sur la maison, les tissus, les tapis, etc.

Nul n'est besoin d'être artiste pour créer un pochoir. Vous n'avez qu'à transférer un dessin sur du papier à tracer et à le transposer sur une feuille d'acétate, que vous trouverez facilement dans les magasins de matériel d'artiste ou d'artisanat, puis à découper votre dessin avec un cutter, tel qu'indiqué dans « Fabriquer un pochoir », page 210. Si le patron est trop grand ou trop petit pour servir comme tel, vous pouvez l'agrandir ou le réduire à la bonne taille à l'aide d'un photocopieur pour ensuite le transférer sur la feuille d'acétate.

Vous noterez que tous les patrons de pochoir relient les petits motifs avec d'étroites bandes ou « liens » du matériau du pochoir. Ces bandes retiennent l'ensemble du dessin pour assurer sa continuité. Si c'est un motif floral, par exemple, la bande pourra être la tige. Si vous utilisez un pochoir pré-coupé ou reproduit à partir d'un livre sur les pochoirs, la bande sera de la bonne largeur. Si vous copiez un patron provenant d'une autre source ou si vous faites votre propre dessin, attention de ne pas faire ces bandes trop étroites. Elles se brisent facilement sous la pression des coups de pinceau.

En mettant au point votre projet, élaborez également vos combinaisons de couleurs. Il est prudent d'indiquer sur l'acétate les couleurs de votre projet avec des crayons de couleur ou des crayons feutre. Ils font ressortir les formes autant que les couleurs.

Travaux au pochoir

- Fabriquer un pochoir

- Appliquer un pochoir

Dans ce coin dînette, une vigne au pochoir encadre les panneaux de boiserie pour donner l'impression d'un jardin.

Fabriquer un pochoir

Les peintres décorateurs utilisent une variété de matériaux pour créer des pochoirs. Parmi eux, on retrouve du carton d'affiche, de la gomme-laque et de l'acétate. L'acétate est le matériau le plus facile à utiliser pour un débutant.

Quand vous avez choisi la taille, le motif et les couleurs de votre dessin, tracez une ligne sur les rebords du haut et du bas de votre pochoir. Coupez ou encochez de petits points de repère le long de ces lignes. Ces marques tracées à la même hauteur vous permettront d'aligner votre patron avec la marque de craie que vous aurez tracée sur le mur, permettant de garder votre dessin droit à mesure que vous progresserez sur la surface. Vous pouvez également vous baser sur ces points de repère pour aligner un patron au-dessus d'un autre. Coupez le papier pour qu'il ne reste que 2,5 cm (1 po) de bordure tout le tour. Photocopiez votre patron pour chaque couleur que vous utilisez, plus quelques copies. Si votre projet comporte trois couleurs, coupez trois feuilles d'acétate de la même taille que le patron et tracez une ligne au crayon de 2,5 cm (1 po) en haut ou en bas de la bordure de chaque feuille; elle vous servira de guide pour placer votre patron.

Sur une planche à découper, fixez le pochoir avec du ruban cache. Vaporisez de la colle pour artistes au verso de votre patron et alignez vos tracés guides sur le pochoir (vous pouvez les voir à travers vos points de repère) avec les lignes de votre patron, puis pressez fermement le patron contre le pochoir. Identifiez chaque élément du patron qui doit recevoir la première couleur et découpez-les, sur

Ce modèle de pochoir requiert un patron séparé pour chaque motif du dessin. Remarquez les points de repère aux extrémités de chaque partie du patron. Les nombres I, II et III qui apparaissent dans les coins du haut indiquent les couleurs à utiliser. Les poinçons du bas servent à fixer les pochoirs au mur pendant que la peinture sèche.

le papier et le pochoir, avec un cutter. Découpez également les points de repère sur le pochoir. Étiquetez le pochoir «n°1», indiquez le haut et le côté et inscrivez la couleur sur le devant. Refaites cette opération pour chaque couleur ou chaque élément.

Si vous utilisez un pochoir de papier, solidifiez-le en appliquant préalablement des couches de gomme-laque. Il sera alors plus facile à laver et vous pourrez le réutiliser. Prenez un rouleau jetable et appliquez deux couches de gomme-laque de chaque côté de chaque pochoir.

Vous pouvez vous servir d'un cordeau comme guide et d'un pinceau à pochoir pour appliquer la peinture.

FABRIQUER UN POCHOIR

NIVEAU D'HABILETÉ : intermédiaire à avancé

PAIRES DE MAINS REQUISES : 1

INSTRUMENTS ET ACCESSOIRES : patrons, photocopies des patrons, crayons de couleur ou marqueurs, règle, crayon à mine #2, ciseaux, planche à découper (planche de bois coussinée, carton épais, planche en caoutchouc ou en plastique, ou panneau de verre), cutter avec lames jetables, plusieurs lames de rechange, pochoirs (papier, carton ou acétate), ruban cache, colle d'artiste en aérosol, gomme-laque pour renforcer les feuilles de pochoir au besoin, rouleau jetable

APPLIQUER UN POCHOIR

La technique du pochoir exige un alignement adéquat de ses différents éléments et une application de peinture très minutieuse. On applique la peinture en tamponnant un pinceau à peine imbibé dans un mouvement de haut en bas. Tamponnez de façon que la couleur soit uniforme, ou allez-y de plus en plus délicatement au fur et à mesure pour donner l'impression que la couleur s'atténue. Veillez à décolorer les mêmes éléments et de la même manière chaque fois.

P R O C É D É

APPLIQUER UN POCHOIR

NIVEAU D'HABILETÉ : débutant avancé à avancé, selon la complexité du dessin

RECOMMANDÉ POUR : surfaces lisses, plates ou arrondies

DÉCONSEILLÉ POUR : surfaces inégales, comportant des reliefs et des garnitures complexes

PAIRES DE MAINS REQUISES : 1 ou 2

INSTRUMENTS ET ACCESSOIRES : règle rigide, crayon à mine #1, cordeau avec craie pâle, niveau, patrons, seaux de peinture, petits plats, ruban cache, colle en aérosol, pinceau à pochoir, papier journal, chiffons propres, solvant minéral, gants

COUCHE DE BASE : peinture au latex

PEINTURE : peinture au latex ou à l'acrylique

SECTION DE TRAVAIL TYPE : 30 à 60 cm (1 - 2 pi)

SURCOUCHE TRANSPARENTE : produit de finition mat, optionnel

Comment appliquer un pochoir

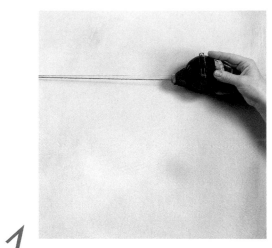

1   *Avec un cordeau et un niveau, tracez une ligne sur le mur pour indiquer l'endroit où le bas de votre pochoir doit reposer.*

2   *Mélangez la première couleur de peinture. Dans cet exemple, un gris moyen a servi pour les plus gros motifs du dessin. Versez une petite quantité dans un petit plat. Refermez le contenant pour éviter l'évaporation du solvant.*

3   *Vaporisez de colle le verso de votre premier pochoir. Alignez les points de repère sur la ligne de craie et pressez le pochoir contre le mur. Afin de bien maintenir votre pochoir en place, fixez ses extrémités avec du ruban cache.*

4 *Trempez le pinceau à pochoir dans la peinture. Essuyez l'excédent de peinture dans du papier journal pour que le pinceau soit presque sec. Puis donnez des petits coups de pinceau dans les découpes en utilisant la méthode décrite dans l'introduction. Allez-y d'une touche suffisamment ferme pour remplir tout l'espace de la découpe, surtout le haut. Si vous commencez à manquer de peinture, retrempez votre pinceau dans la peinture, enlevez l'excédent et continuez. Conservez toujours la même quantité de peinture d'un élément à l'autre de votre patron. Soulevez délicatement le bas du pochoir pour vous assurer que vous avez bien rempli tous les espaces de la première couleur.*

5 *Enlevez délicatement le pochoir en prenant grand soin de ne pas altérer la peinture. (Vérifiez de temps en temps l'arrière du pochoir et nettoyez toute trace de peinture.) Au besoin, vaporisez de colle le dos du pochoir. Repositionnez le pochoir sur la section suivante, bien aligné sur les points de repère, et fixez les rebords tel que décrit à l'étape 3. Appliquez la peinture comme à l'étape 4. Continuez ainsi jusqu'à ce que le motif ait été reproduit partout où vous le désirez. Laissez sécher la surface.*

6 *Mélangez la seconde couleur, dans le cas présent un gris foncé. Versez une petite quantité dans un petit plat. Refermez le contenant pour éviter l'évaporation du solvant. En reprenant les étapes 3 à 5, mettez le second pochoir en place et appliquez la deuxième couleur. Faites le tour de la pièce en appliquant la peinture sur tous les éléments qui le requièrent. Laissez sécher la surface.*

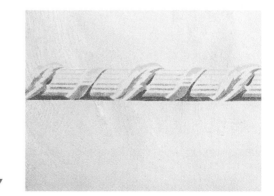

7 *Mélangez la troisième couleur, dans le cas présent un gris pâle. Versez une petite quantité dans un petit plat. En travaillant toujours de la même façon, et pour la troisième fois, repositionnez et fixez le troisième pochoir et appliquez la troisième couleur. Faites le tour de la pièce en appliquant la peinture sur tous les éléments qui le requièrent. Laissez sécher.*

CHAPITRE 14

La peinture décorative confine au grand art avec les techniques de fausses-pierres, surtout le marbre. Appliquées avec du glacis et un minimum de patience, ces techniques peuvent reproduire l'immuable beauté de la nature à une fraction du prix des vraies pierres.

On peut dire que les surfaces peintes ainsi sont des œuvres économiques déguisées en décors somptueux.

L'effet de pierres

Ce qui attire le plus dans ces techniques, c'est qu'elles offrent une infinie variété de combinaisons de couleurs et de textures avec lesquelles on peut travailler. C'est pourquoi il est avantageux de prendre le temps d'étudier les différents types de pierres architecturales, particulièrement les multiples variétés de marbre, et d'observer leur couleurs et la forme de leur veines. Ce que vous créerez peut-être sera satisfaisant autant qu'impressionnant. Les finis imitation de pierre peuvent offrir un aspect aussi bien impressionniste que réaliste.

Le fini fausses-pierres *de cette salle de bains créé par l'artiste Lucianna Samu représente un mur de pierres rustique avec des colonnes de marbre.*

De toute évidence, le fini fausses-pierres cache quelques secrets. Le premier, le moins est le mieux. Il est logique d'exploiter parcimonieusement ce genre de fini, car c'est ce que vous feriez avec de vraies pierres, qui sont beaucoup trop coûteuses pour qu'on en abuse, sauf dans un château où les budgets sont à l'avenant.

En second lieu, leur beauté individuelle se tarit quand elles ont à rivaliser les unes avec les autres ou avec d'autres finis de peinture. Pour un effet maximal, limitez vos finis fausses-pierres à un ou deux par pièce.

Finalement, vous obtiendrez un meilleur effet si vous employez ces finis sur des surfaces qui pourraient être faites de pierres naturelles, comme des planchers, des manteaux de cheminée, des dessus de table, des dessus de comptoir, des murs d'appoint, des dessus de table de toilette, des contours de baignoire, des colonnes et d'autres accessoires architecturaux.

Si vous voulez peindre un mur entier en faux-marbre, divisez-le en panneaux ou en carreaux, deux fois plus hauts que larges, par exemple 60 x 120 cm (2 x 4 pi) ou 120 x 240 cm (4 x 8 pi). Ou divisez le mur en carreaux de 75 cm² (12 po²).

L'histoire du marbre

Le marbre est une roche métamorphique qui, après des siècles de chaleur, de pression et d'impuretés, a développé des motifs distinctifs. Il existe des centaines de genres de marbre, chacun portant le nom de la région d'où il provient et chacun différant par sa couleur et ses motifs. Couleurs subtiles, motifs fragmentés et veinures compliquées font du marbre le fini le plus précis à peindre. Vous devez peindre de façon que les nervures donnent l'impression de se fondre dans les encavures plutôt que de ressortir individuellement.

Une plume de dinde blanchie et un cutter sont les instruments les plus utilisés dans plusieurs techniques de fausses-pierres.

Efforcez-vous d'abord de reproduire le tracé des courants de couleurs. Dans la nature, ces courants sont le résultat d'une fusion minérale qui s'est diffusée dans la pierre à un certain moment. Elles ont une apparence brouillée et sont orientées dans une direction. Reproduisez ce mouvement en traçant des lignes convergentes et divergentes sur toute la surface de la pierre. Évitez de les terminer par des triangles finement effilés; gardez plutôt les lignes irrégulières. Variez-en la largeur, ainsi qu'on l'indique dans ce chapitre.

Des veines plus prononcées s'entremêlent dans ces mouvements de couleur. Voyez-les comme des fissures qui traversent le marbre dans le même angle. Avec la pointe d'une plume de dinde blanchie, peignez des veines fines et inégales de différentes longueurs. Faites des veines réalistes et rappelez-vous ceci :

- Les veines ne se rencontrent pas à angle droit.
- Les veines ne courent pas parfaitement en parallèle les unes à côté des autres.
- Les veines ne s'arrêtent pas sec comme les dents d'une fourchette.
- Les veines ne coupent pas carré; plutôt que disparaître, elles s'affinent en surface.
- Les veines ne se croisent pas en X.
- Les veines ne se terminent pas en pointe comme dans un triangle.
- Les veines ne s'alignent pas en modèles répétitifs.
- Les veines ne zigzaguent pas et ne vont pas dans tous les sens.

Plusieurs des finis de fausses-pierres font appel à des techniques négatives, présentées au chapitre 7, « Travaux au chiffon », commençant à la page 140. Avant de commencer les travaux de fausses-pierres, prenez le temps de revoir les applications, en particulier celles qui impliquent l'usage de coton hydrophile et de papier journal.

L'effet de pierres

- ## Marbre blanc

- ## Jaspe

- ## Marbre serpentin

- ## Mur de pierres rustiques

- ## Ardoise

- ## Incrustation de pierres

Marbre blanc

Ce fini décoratif offre l'immaculée beauté d'une pierre de prix. C'est le plus facile à réussir parce que c'est un marbre de brèche, qui est brisé en plusieurs petits fragments de couleurs irrégulières, séparés par des veines noires. Observez le vrai marbre blanc et vous verrez que le courant des couleurs est orienté dans une direction bien précise. Orientez de même les traits de votre faux-marbre et prévoyez la fragmentation des veines avant de commencer à peindre. Tracez le plan des veinures sur une feuille de papier dans les mêmes proportions que l'espace que vous allez peindre. Pour les grandes surfaces, organisez la disposition des panneaux. La coulée des veines doit se refléter dans les panneaux adjacents. Pour les murs de vrai marbre, les dalles de pierre sont installées les unes à côté des autres et l'une des pièces est affalée pour créer un effet de réflexion.

N'oubliez pas d'appliquer une couche de base de peinture au latex blanc frais et laissez sécher entièrement avant de commencer.

Comment réaliser un fini de marbre blanc

1 Mélangez les glacis noir et blanc à la consistance voulue. Versez une petite quantité de chaque couleur dans le bac à peinture. Refermez le contenant pour empêcher l'évaporation du solvant.

2 Appliquez le glacis blanc au pinceau ou au rouleau sur toute la surface. Utilisez un rouleau sur les grandes surfaces.

3 En travaillant rapidement, étalez le glacis noir sur le glacis blanc avec un pinceau de décorateur, les poils couchés sur la surface à un angle de 45 degrés. Laissez quelques lignes intouchées et mélangez les autres avec le glacis pour qu'elles tournent au gris, tel qu'indiqué.

4 Texturez les lignes de veines et enlevez l'excédent de glacis en pressant une feuille de papier journal contre l'entière surface, tel qu'indiqué. Ainsi, les couleurs se superposent. Travaillez en diagonale sur la surface et changez fré-quem-ment l'angle des feuilles pour éviter de pro-duire des motifs répétitifs. Quand le papier est gluant, prenez-en un nouveau.

5 Tenez un pinceau de décorateur à angle, tel qu'indiqué et tamponnez le long des traits entre la peinture blanche et le glacis noir. Mélangez le glacis noir avec le glacis blanc afin qu'il ne reste qu'un peu de glacis blanc pur. Ne laissez pas la texture se résorber entièrement.

6 Que vous soyez droitier ou gaucher, prenez une plume de dinde blanchie de votre bonne main et trempez-la dans le glacis noir. Effleurez-la sur la surface, caressez les lignes des veines qui convergent et divergent par rapport aux zones minéralisées. Ces lignes doivent trembler légèrement, sans zigzaguer ni baver. Le but est de donner l'impression que les plus fines veines proviennent de l'intérieur du mar-bre, non de la surface.

7 Appliquez une surcouche de peinture blanche sur le glacis. Peignez toute la surface et masquez en appliquant du papier journal, tel qu'indiqué à l'étape 4. Les couleurs s'affaissent, ce qui crée la profondeur et la translucidité caractéristiques du marbre.

8 La touche finale. L'éternelle beauté du marbre blanc recréée en peinture. L'apparence est subtile, à la fois complexe et fascinante.

PROCÉDÉ

MARBRE BLANC

NIVEAU D'HABILETÉ : intermédiaire avancé à avancé

RECOMMANDÉ POUR : toute grande surface qui pourrait être recouverte de véritable marbre; grands murs et planchers, si divisés en panneaux

DÉCONSEILLÉ POUR : grandes surfaces comme les murs, sauf s'ils sont divisés en panneaux, surfaces avec ornements compliqués ou moulures sophistiquées

PAIRES DE MAINS REQUISES : 1

INSTRUMENTS ET ACCESSOIRES : seaux à peinture, bâtons à mélanger, 2 bacs à peinture, rouleau à poils courts ou en mousse, pinceau de décorateur de 50 - 75 mm (2 - 3 po) de largeur, papier journal, plume de dinde blanchie, chiffons propres, solvant minéral, gants

COUCHE DE BASE : peinture à l'huile mate, blanche

COLORANTS POUR GLACIS : apprêt blanc et noir pré-mélangé, coquille d'œuf, peinture à l'huile satinée ou colorants universels

RECETTE DE GLACIS : 1 portion de colorant, 1 portion de vernis à l'huile, 1 portion de solvant minéral

SURCOUCHE DE GLACIS : 1 portion de peinture à l'huile satinée dans 1 à 4 portions de solvant

SECTION DE TRAVAIL TYPE : surface de 120 - 240 mm (4 x 8 pi)

SURCOUCHE TRANSPARENTE : oui. Utilisez un produit qui ne jaunit pas.

Jaspe

Mentionné dans la Bible, le jaspe est considéré comme une pierre précieuse, bien qu'il soit une sorte de quartz. Le jaspe se présente en une variété de couleurs : jaune, vert et rouge, ce qui lui confère sa qualité exotique. Bien que le jaspe soit souvent associé au vert, le jaspe rouge (qui prend une partie de sa couleur dans le minerai de fer) donne un très bel effet sur un mur; sa texture est très design et très masculine. En tant que fausse-pierre, il se prête aisément à la création de pan neaux sur les murs. Il est aussi attrayant que le marbre et beaucoup plus rapide et facile à faire.

Commencez avec un sous-glacis : étalez au hasard des couches de peinture au latex haute viscosité sur la couche de base mate au latex blanche, bien sèche. Puis, appliquez différentes couleurs de glacis à l'huile, en les texturant avec du papier journal ou un tissu chiffonné. Revoyez les deux techniques avant de commencer, en consultant le chapitre 7 « Travaux au chiffon », débutant à la page 140.

Comment réaliser un fini de jaspe

1 *Découpez un coton hydrophile en bandes de 1,80 m (6 pi) de longueur et mettez-les de côté. Mélangez le glacis avec la couleur désirée et à la consistance voulue. Refermez le contenant pour empêcher que le solvant s'évapore et mettez de côté.*

2 *Pour la sous-couche de glacis, appliquez au hasard un jaune intense de peinture au latex haute viscosité, au rouleau ou au pinceau. Faites vos traits en diagonale, tel qu'indiqué. Couvrez à peu près 70% de la surface, en laissant transparaître beaucoup de blanc de la couche de base. Sur les grandes surfaces, employez un rouleau.*

3   Travaillez de la même façon et dans la même direction qu'à l'étape 2, appliquez au hasard la peinture au latex haute viscosité, de couleur orangée. Recouvrez une partie du jaune et une partie de la couleur de base pour arriver à couvrir 80% de la surface. Laissez transparaître 20% de la couche de base.

5   Pressez le papier journal contre le glacis pour mélanger les couleurs et enlever l'excédent, tel que décrit dans « Effet parchemin avec du papier journal », page 158. Si cette méthode enlève trop de glacis, appliquez du glacis gris sur le journal et remettez en place pour redéposer le glacis sur la surface.

4   Toujours en diagonale, étalez le glacis gris par-dessus les traits jaunes et le glacis rouille, par-dessus les traits orangés. Mélangez les glacis et ramenez-les par-dessus la couche de base blanche en peignant.

6   Tamponnez le chiffon sur la surface en allant de haut en bas pour aplanir la surface et continuer à mélanger les couleurs. Tournez le chiffon fréquemment pour ne pas créer de motifs reconnaissables.

7 *Vous pouvez faire une surcouche de glacis en diluant le glacis rouille avec du solvant. Appliquez-le sur la surface sèche. Recueillez immédiatement l'excédent de glacis avec du papier journal, tel que décrit à l'étape 5. Poursuivez avec un coton hydrophile, tel que décrit à l'étape 6. Couvrez ainsi toute la surface. Cette étape mélange et adoucit le fini.*

8 *La touche finale. Si vous appliquez la surcouche de glacis, qui est optionnelle, vous n'aurez pas à travailler aussi fort à la première étape du procédé. Dans les deux cas, le résultat est subtil, avec une variation de teintes qui crée un bel effet de pierres. Une fois le glacis sec, utilisez un vernis peu lustré si vous voulez éclaircir votre couche finale.*

PROCÉDÉ

JASPE

NIVEAU D'HABILETÉ : intermédiaire avancé à avancé

RECOMMANDÉ POUR : petites surfaces ou grands murs et plafonds, s'ils sont divisés en panneaux

DÉCONSEILLÉ POUR : surfaces inégales, comportant des reliefs et des garnitures sophistiquées

PAIRES DE MAINS REQUISES : 1

INSTRUMENTS ET ACCESSOIRES : ruban cache, seaux à peinture, bâtons à mélanger, 2 bacs à peinture, plusieurs rouleaux à poils courts ou en mousse, plusieurs pinceaux de décorateur de 75 cm (3 po) de largeur, papier journal, bandes de 1,80 m (6 pi) de coton hydrophile, chiffons propres, solvant minéral, gants

COUCHE DE BASE : peinture au latex satinée, blanc chaud

SOUS-GLACIS : peinture à l'huile prémélangée ou colorants universels

COLORANTS POUR GLACIS : peinture à l'huile pré-mélangée

RECETTE DE GLACIS : 1 portion de colorant, 1 portion de vernis à l'huile, 1 portion de solvant minéral

SURCOUCHE DE GLACIS : 1 portion de colorant, 1 portion de vernis à l'huile, 8 portions de solvant minéral

SECTION DE TRAVAIL TYPE : surface de 120 - 240 cm (4 x 8 pi)

SURCOUCHE TRANSPARENTE : optionnelle

Marbre serpentin

Connu en Italie sous le nom de *verde antico* et en France sous celui de *vert antique*, ce marbre possède de fortes veines blanches et une texture énergique créée par l'alternance de zones pâles et foncées. Il est très facile à reproduire avec un glacis à l'huile. Un peintre expert en faux-finis peut travailler avec de la peinture au latex, mais les débutants devraient s'en tenir au glacis à l'huile, parce qu'il sèche moins vite et laisse plus de temps pour travailler.

Le projet commence en appliquant une couche de base à l'huile ou au latex, d'un vert profond, que vous laissez sécher entièrement. Cela se poursuit avec l'application de trois glacis, blanc, vert profond et noir, texturés avec du papier journal et un chiffon froissé. Ensuite, application de glacis blanc, à la plume, pour tracer les veines. Finalement, on adoucit la surface avec une surcouche de glacis. Bien que le processus comprenne plusieurs étapes, il est facile à suivre.

Comment réaliser un fini marbre serpentin

1 Découpez un coton hydrophile en bandes de 1,80 m (6 pi) de longueur et mettez-les de côté. Mélangez les glacis blanc, vert et noir et à la consistance désirée. Le glacis vert doit être d'un ton plus foncé que celui de la couleur de la couche de base. Versez une petite quantité du glacis blanc dans le bac à peinture. Refermez le contenant pour empêcher l'évaporation du solvant.

2 En travaillant en diagonale, appliquez le glacis blanc tel que démontré. Au hasard et avec des gestes courbés, couvrez 50% de la surface.

3 Travaillant tel qu'indiqué dans l'étape 2, versez une petite quantité de glacis vert dans le bac à peinture et étalez. Couvrez à peu près 50% de la surface, avec une partie du vert chevauchant le blanc. La surface doit être complètement couverte de vert et de blanc.

5 Mélangez encore les couleurs et texturez le glacis en pressant des feuilles de papier journal sur la surface. Travaillez en diagonale et tournez les feuilles en différentes directions pour éviter les motifs trop précis.

4 De la même façon, appliquez le glacis noir, tel que montré. Couvrez à peu près 25% de la surface en chevauchant les deux autres couleurs. Cela mélange davantage les couleurs.

6 Chiffonnez une pièce de coton hydrophile dans votre main pour former une masse aérée. Tamponnez la surface pour faire un dernier mélange de couleurs et égaliser la texture.

7 À ce point-ci, le marbre est un mélange de zones pâles et foncées, éclaircies par des apparitions de blanc et de vert moyen. C'est le moment de tracer les veines.

8 Trempez la plume de dinde blanchie dans le glacis blanc et tracez les veines en suivant la technique des pages 216 - 217 et celle des pages 218 - 220. Et rappelez-vous : quand vous peignez les veines, moins vaut mieux que plus.

9 Préparez la surcouche de glacis en diluant le glacis vert foncé avec 50 à 80% de solvant minéral. Appliquez sur toute la surface. Tamponnez le glacis avec un coton chiffonné pour adoucir et imprégner les veines dans la surface.

10 *La touche finale : un élégant fini de faux-marbre, offrant un mélange subtil de couleur riches et de veines entremêlées.*

Coup de maître

Pour donner au marbre une authentique apparence fossilisée, essayez ceci : avant que le glacis soit sec, trempez une vieille brosse à dents dans du solvant minéral et tenez-la au-dessus de la surface peinte. Abaissez alors votre pouce le long des poils face à vous. Cette action va vaporiser légèrement la surface de solvant, suffisamment pour repousser un peu de peinture et laisser transparaître en quelques endroits la couche du dessous.

PROCÉDÉ

MARBRE SERPENTIN

NIVEAU D'HABILETÉ : intermédiaire avancé à avancé

RECOMMANDÉ POUR : petites et grandes surfaces qui pourraient être faites de vraies pierres, colonnes et planchers

DÉCONSEILLÉ POUR : surfaces inégales, comportant des reliefs et des garnitures sophistiquées

PAIRES DE MAINS REQUISES : 1

INSTRUMENTS ET ACCESSOIRES : ruban cache, seaux à peinture, bâtons à mélanger, 3 bacs à peinture, 3 pinceaux de décorateur de 75 mm (3 po) de largeur, papier journal, bandes de 1,80 m (6 pi) de coton hydrophile, plume de dinde blanchie, chiffons propres, solvant minéral, gants

COUCHE DE BASE : peinture verte au latex pré-mélangée

COLORANTS POUR GLACIS : apprêt pré-mélangé coquille d'œuf ou peinture à l'huile satinée

RECETTE DE GLACIS : 1 portion de colorant, 1 portion de vernis à l'huile, 1 portion de solvant minéral

SURCOUCHE DE GLACIS : 1 portion de colorant, 1 portion de vernis à l'huile et 2 à 8 portions de solvant minéral

SECTION DE TRAVAIL TYPE : surface de 120 - 240 cm (4 x 8 pi)

SURCOUCHE TRANSPARENTE : oui

Mur de pierres rustiques

Ce faux-fini crée l'illusion de faux blocs de ciment. C'est un autre classique, qui a servi pendant des siècles. (George Washington avait engagé des peintres pour créer, avec une version de cette technique, une imitation de fausses-pierres à l'extérieur de sa maison de Mount Vernon.) C'est également l'un des faux-finis les plus faciles à exécuter, avec les travaux à l'éponge de base, et c'est un excellent projet pour débutants, parce que le travail se fait en petites sections contrôlées.

Faire ressortir le côté rustique de la pierre est légèrement laborieux au début. Vous devez mesurer et tracer les lignes des blocs et appliquer du ruban cache entre les espaces. Mais la partie la plus ardue du travail s'arrête là. Une fois que vous avez circonscrit vos blocs, vous pouvez diviser votre travail en plusieurs petites zones faciles à travailler, ce qui simplifie la tâche. Vernir les blocs individuellement vous permet aussi d'arrêter et de recommencer quand bon vous semble (sauf au beau milieu d'un bloc). Sans compter que plusieurs personnes peuvent peindre des blocs en même temps. La variation des tons, produite par des mains différentes, rehausse l'apparence naturelle de chaque pierre.

Pour une apparence de pierre véritable, variez les nuances de couleur en appliquant des pressions différentes sur la surface.

Faire des blocs

Choisissez d'abord la taille de vos blocs. Un bloc de pierre rectangulaire standard est deux fois plus long que haut, mais les dimensions peuvent varier pour convenir à votre espace. Prenez le temps de faire des recherches sur le fini des blocs. Si vous ne pouvez trouver des livres utiles à la bibliothèque, discutez avec un fournisseur de pierres, près de chez vous. Les blocs de pierre se mesurent de deux manières : la taille *nominale* et la taille *réelle*, qui est plus petite et qui est compensée par l'épaisseur du mortier entre les pierres. Utilisez la taille nominale quand vous dessinez des blocs sur une surface à peindre. Quand vous aurez déterminé la taille de vos blocs, tracez le plan d'ensemble sur du papier quadrillé. C'est important si vous voulez couvrir une grande surface, même s'il s'agit d'un simple lambris sur le tiers d'un bas de mur. En traçant votre plan, rappelez-vous : échelonnez l'assise des blocs afin que l'extrémité d'une assise soit bien en ligne avec le centre du bloc du dessus et celui du dessous.

Vos blocs doivent *être de niveau avec le plafond, pas avec le plancher.*

Peignez le mur avec une couche de base au latex, blanc mat, laissez sécher, ensuite tracez la grille. En vous servant de votre plan comme guide, allez dans un coin du mur, mesurez du plafond jusqu'au point de rencontre des deux premières assises de bloc. Faites un trait de crayon à cet endroit. Faites de même dans le coin opposé. Avec un cordeau ou un niveau, tracez une ligne légère au crayon à mine entre les deux points. Parce que la plupart des murs ne sont pas de niveau, vous devrez donner l'impression que les blocs sont de niveau avec le plafond, pas avec le plancher ; toute déviation, aussi petite soit-elle, sera plus visible par rapport au plafond que par rapport au plancher.

En prenant la première ligne comme référence, mesurez et tracez les lignes horizontales qui restent, puis les lignes verticales pour chaque bloc. Apposez du ruban cache sur chaque ligne horizontale et fixez. Appliquez aussi du ruban cache sur le centre de chaque ligne verticale. Utilisez une lame de rasoir ou un cutter pour couper le ruban vertical en l'égalisant avec les bords des rubans horizontaux. Cette grille bien en place, peignez les blocs avec de la peinture au latex pré-mélangée, haute viscosité, de la teinte souhaitée. Ici, la peinture du même blanc chaleureux que la couche de base a été légèrement altérée avec du taupe et du beige pour créer la vraie couleur de la pierre.

Comment réaliser un mur de pierres rustiques

1 Votre grille tracée (au crayon ou à la craie), appliquez du ruban cache pour créer les interstices du mortier. Pressez le ruban cache au centre de chaque ligne, tel que décrit dans « Faire des blocs », page 229. Les lignes verticales doivent être échelonnées en parcours adjacents et centrées sur le bloc du dessus, tel que démontré.

2 Mélangez de la peinture au latex mate, haute viscosité, de la couleur de pierre désirée et versez une petite quantité dans le bac à peinture. Scellez le contenant et rangez pour éviter les éclaboussures.

3 Appliquez la peinture avec un pinceau de décorateur. Tamponnez et tournez le pinceau pour imiter la texture de la pierre. Variez la coloration d'un bloc à l'autre en appliquant des pressions différentes avec le pinceau.

4 Laissez sécher complètement les blocs. Retirez les rubans cache en soulevant les coins et en tirant vers vous. Il se peut que ce résultat vous satisfasse tel qu'il est, surtout si vous avez utilisé du ruban de 6,4 mm (^{1}/4 po) pour faire les découpes. Mais pour une imitation plus juste, surtout sur les murs extérieurs et les murs intérieurs qui reçoivent beaucoup de lumière, vous devriez créer des lignes d'ombre, décrites à l'étape 5.

5 Déterminez l'orientation du soleil. Créez un effet ombragé sur le côté droit et le bas de la pierre, ou sur le côté gauche si vous préférez. Prenez la couleur la plus foncée du mélange, diluée avec de l'eau. Avec une spatule comme guide, peignez les ombres des deux côtés de chaque pierre avec un pinceau d'artiste. Quand c'est sec, diluez la peinture blanche et peignez les lignes de mortier autour des blocs. Ne touchez pas aux zones ombragées sauf pour couper le bas des coins.

6 La touche finale : une belle surface classique remplie de lumière et d'ombre. Remarquez la surface tachetée des blocs qui change d'une pierre à l'autre.

PROCÉDÉ

MUR DE PIERRES RUSTIQUES

NIVEAU D'HABILETÉ : débutant avancé à intermédiaire

RECOMMANDÉ POUR : tous murs plats

DÉCONSEILLÉ POUR : murs comportant des moulures compliquées ou des reliefs sophistiqués, plafonds, planchers ou boiseries

PAIRES DE MAINS REQUISES : 1 ou 2, selon la surface

INSTRUMENTS ET ACCESSOIRES : papier quadrillé, crayon à mine #1, ruban à mesurer rétractable, niveau ou fil de craie, règle de métal, ruban cache de 64 mm (1/4 po), ciseaux, lame de rasoir ou cutter, seau à peinture, bâtons à mélanger, bac à peinture, pinceau de décorateur de 75 cm (3 po) de largeur, spatule de 20 à 25 cm (8 - 12 po) de largeur, 2 pinceaux d'artiste #6, chiffons propres, seau d'eau propre, gants

COUCHE DE BASE : peinture au latex blanc chaud

COLORANT À PEINTURE : peinture blanc mat au latex, teintée aux couleurs des pierres, avec du taupe et du beige, colorants universels ou acrylique pour artistes

SECTION DE TRAVAIL TYPE : un bloc à la fois

SURCOUCHE TRANSPARENTE : non

Un échantillon de véritable ardoise peut servir de modèle pour l'exécution en peinture.

Ardoise

Il faut être très résolu pour recouvrir une surface de fausse-ardoise. Parce qu'une fois en place, elle est là pour rester. Ce serait beaucoup de travail de tenter de l'enlever. Il faut admettre que c'est un très beau fini pour les murs, les plafonds et les meubles (comme les dessus de table). N'y renoncez pas si vous voulez vraiment obtenir ce fini et cette texture.

Quoi qu'il en soit, l'application de cette technique est très facile. Vous appliquez simplement de la peinture au latex à la truelle, directement du contenant à la surface. Utilisez une peinture texturée blanche ou procurez-vous une peinture pré-mélangée, gris ardoise, comme dans cet exemple. Vous pouvez obtenir le même résultat en peignant sur un mur de plâtre sec normal, mais contrairement à la peinture texturée, il n'y a pas d'effet scellant. Ce qui implique que vous devez appliquer un apprêt avant la couche de base, une perspective difficile pour la surface inégale que vous vous apprêtez à créer. La peinture texturée est plus simple, parce qu'elle s'applique facilement et en moins d'étapes.

Procurez-vous une peinture au latex texturée, moyennement lisse, et faites pré-mélanger la couleur de base de votre choix. Ici, il s'agit d'un gris moyen. Appliquez un apprêt ou une couche de base sur la surface, à votre choix. Quand la couche de base est sèche, allez-y avec la création de ce fini magnifique.

Comment réaliser une surface en ardoise

1 Découpez un coton hydrophile en bandes de 1,80 m (6 pi) de longueur et mettez-les de côté. Mélangez le glacis avec la couleur désirée et à la consistance voulue. Scellez le contenant et rangez.

2 Avec une spatule et à un angle de 45 degrés, étalez la peinture sur la surface. Couvre à peu près 75% de la surface du mur. Ne craignez pas de laisser des vides sur la surface, ils aident à créer la texture désirée.

3 Appliquez la couche de base légèrement plus foncée que la peinture texturée. Utilisez un pinceau ou un rouleau. Encore une fois, ignorez les vides, mais couvrez le plus gros de la surface.

4 Versez une petite quantité du glacis dans le bac à peinture. Refermez le contenant pour empêcher l'évaporation du solvant. Au pinceau ou au rouleau, appliquez le glacis sur 100 % de la zone de travail (à peu près 2,78 m² (30 pi²). Ne craignez pas les coups de pinceau, ils vont s'estomper quand le glacis va commencer à devenir mat. Voici l'aspect auquel vous devez vous attendre.

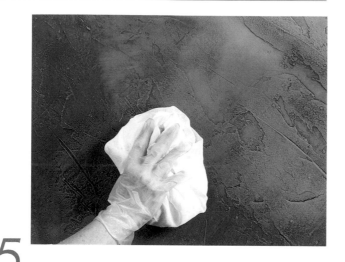

5   *Prenez immédiatement un coton chiffonné trempé dans un solvant minéral et tapotez légèrement la surface par petits coups de haut en bas. Puis frottez le coton sur les points élevés pour enlever le glacis et lisser la surface, mais ne le laissez pas absorber le glacis des recoins. S'il y a trop de taches de peinture, appliquez-en davantage et retravaillez la zone.*

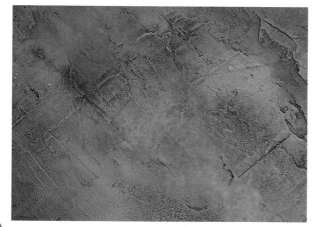

6   *Le fini ardoise. Il a l'apparence cailouteuse étagée caractéristique de l'ardoise, tout autant que sa durabilité. La fausse ardoise peut être réalisée en brun et noir-vert. Si vous voulez un gris plus foncé que celui présenté dans cet exemple, utilisez une couche de base plus foncée.*

PROCÉDÉ

ARDOISE

NIVEAU D'HABILETÉ : débutant avancé à intermédiaire

RECOMMANDÉ POUR : murs, plafonds et meubles

DÉCONSEILLÉ POUR : planchers, dessus de comptoirs ou autres surfaces ornées de reliefs et de moulures sophistiquées

PAIRES DE MAINS REQUISES : 1

INSTRUMENTS ET ACCESSOIRES : seaux à peinture, spatule de 20 cm (8 po) de largeur, bac à peinture, pinceau de décorateur de 75 mm (3 po) de largeur, rouleau à poils courts ou en mousse, bandes de coton hydrophile de 1,80 m (6 pi) de longueur, chiffons propres, solvant minéral, gants

COUCHE DE BASE : peinture au latex prémélangée

COUCHE TEXTURÉE : peinture au latex mate pré-mélangée, moyennement onctueuse

COLORANTS POUR GLACIS : peinture à l'huile pré-mélangée ou colorants universels

RECETTE DE GLACIS : 1 portion de colorant, 1 portion de vernis à l'huile, 2 à 3 portions de solvant minéral

SECTION DE TRAVAIL TYPE : surface de 2,78 m² (30 pi²) carré.

SURCOUCHE TRANSPARENTE : non

Incrustation de pierres

Il est possible, avec de la peinture, de donner une apparence de pierres incrustées sur un plancher. Il faut dessiner une grille précise, bien choisir les couleurs, bien mesurer, utiliser beaucoup de ruban cache et avoir beaucoup d'aide, mais le résultat en vaut l'effort. Vous aurez un plancher aussi beau que s'il était en carreaux de pierres naturelles, comme le marbre, le granite ou la céramique.

Bien que l'idée de peindre un plancher complet puisse paraître décourageante, cette technique, comme celle du mur de pierres rustiques (page 228) laisse toute liberté pour commencer et arrêter à sa guise, ce qui signifie que vous pouvez prendre tout votre temps.

Commencez par tracer votre plan sur du papier quadrillé. Chaque carreau doit correspondre à une mesure précise, qu'il sera facile de reporter sur le plancher. Comme la plupart des planchers ne forment pas des carrés ou des rectangles parfaits, commencez la disposition au centre exact du plancher, puis dirigez-vous vers les bords.

Toujours sur papier quadrillé, élaborez vos combinaisons de couleurs. Faites des échantillons de chaque couleur pour en vérifier l'effet d'ensemble. (Voir « Mélanger peintures et glacis », chapitre 5, débutant à la page 106) Avant de peindre, nettoyez le plancher en

Comment réaliser des médaillons

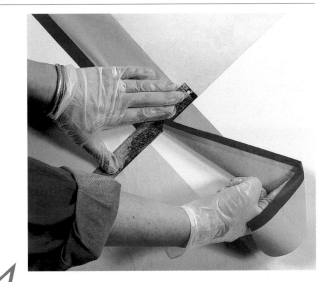

1 *Prévoyez peindre d'un seul coup deux carreaux voisins de même couleur. Masquez chaque carreau en collant sur un côté, à l'extérieur, une large bande de papier et du ruban cache, tel que démontré. À l'aide d'une règle, sectionnez le ruban dans les coins. Masquez l'autre côté de la même façon.*

2 *Masquez les deux autres côtés du carré de la même façon, mais sectionnez les coins internes, là où les deux carreaux se rencontrent, tel qu'indiqué.*

profondeur, poncez-le au besoin. Ensuite, appliquez une couche d'apprêt de peinture d'extérieur au latex, suivie de deux couches d'émail au latex semi-lustré pour extérieur. Laissez sécher en profondeur entre chaque application.

Avec une règle, un ruban à mesurer rétractable et un cordeau, reproduisez la grille du dessin sur le plancher. Tracez le découpage au crayon par-dessus la ligne de craie. Essuyez la ligne de craie avec une éponge humide. Pour créer une bordure, tel que montré à l'étape 6, posez du ruban cache sur la lisière des bordures internes. Choisissez la première couleur à peindre. Placez du ruban cache à l'extérieur des lignes verticales qui délimitent le carreau de cette couleur, et fixez. Peignez la première section de la première couleur et laissez sécher. Retirez le ruban cache. Répétez le procédé du ruban cache et de la peinture sur les sections qui restent en appliquant la seconde couleur. Laissez sécher complètement les bordures, retirez le ruban cache en soulevant les coins et en tirant vers vous. Couvrez les zones de bordure avec des feuilles de plastique pour les protéger. Vous êtes maintenant prêt à peindre les motifs à la grandeur du plancher.

3   Assurez-vous que les deux carreaux entourés se rejoignent à 90 degrés et que les rubans cache adhèrent fermement.

4   Tamponnez la peinture sur les carreaux pour les colorer et leur donner de la texture. Laissez sécher avant de peindre les deux carreaux suivants. Refaites l'exercice, deux carreaux à la fois, jusqu'à ce que toute la surface ait été couverte. Laissez sécher le glacis. Retirez tous les rubans cache en soulevant les coins et en tirant vers vous.

5 *Avec la même méthode de mesure et d'enca-drement, masquez tous les points de jonction. Peignez-les de la couleur souhaitée et laissez sécher. Retirez ensuite tous les rubans cache, tel que décrit à l'étape 4.*

6 *La touche finale. Un élégant motif géométrique de couleurs douces. La surface requiert une couche protectrice de polyuréthane satiné pour garder son beau fini.*

P R O C É D É

INCRUSTATION DE PIERRES

NIVEAU D'HABILETÉ : avancé

RECOMMANDÉ POUR : planchers et panneaux sur murs plats.

DÉCONSEILLÉ POUR : plafonds ou autres surfaces ornées de reliefs et moulures sophistiquées

PAIRES DE MAINS REQUISES : 2 ou 3

INSTRUMENTS ET ACCESSOIRES : papier quadrillé, crayon à mine #1, crayons de couleur, seaux à peinture, bâtons à mélanger, rouleau, ruban à mesurer, règle, cordeau, éponge, seau d'eau propre, ruban adhésif, ruban cache, pinceaux de décorateur (38 mm (1¹/2 po) et 63 mm (2¹/2 po), chiffons propres, gants

APPRÊT : apprêt au latex

COUCHE DE BASE : peinture au latex blanc pour extérieur

PEINTURE POUR PIERRES: peinture mate au latex pré-mélangé

SECTION DE TRAVAIL TYPE : 2 carreaux à la fois

SURCOUCHE TRANSPARENTE : polyuréthane fini satiné

Comme les finis fausses-pierres, l'impression d'un décor bois est un grand art dont la tradition remonte à des siècles. Dans les cultures an-ciennes, les Chinois, les Égyptiens et les Romains l'utilisaient pour donner l'illusion d'un élément naturel qu'ils admiraient, mais qui était rare. Appelées faux-bois en Europe, ces

L'impression d'un décor bois

techniques n'ont jamais perdu de leur popularité là-bas pour les mêmes raisons. Elles deviennent de plus en plus populaires en Amérique du Nord où les réserves de bois commencent à diminuer et où le bois traité devient de plus en plus coûteux. Même s'il était à prix abordable, la prise de cons-cience pour protéger les forêts nous pousse à choisir un substitut plus écologique, le décor bois.

Comme pour le marbre, recréer de façon réaliste le grain du bois avec de la peinture est une technique très précise qui demande beaucoup de minutie. On peut mettre des années à maîtriser cet art, mais vous pouvez commencer avec quelques notions de base.

L'effet de grain *peut être obtenu par des méthodes simples. Les dessins complexes qui apparaissent dans cette salle de bains exigent une main de maître.*

Comprendre le bois

Les techniques d'impression d'un décor bois exigent une compréhension rudimentaire du bois. Prenez le temps d'étudier le sujet avant de tenter de maîtriser une des techniques.

Vous découvrirez que chaque essence a son propre dessin de grain et sa propre couleur. Les motifs des grains du bois ne dépendent pas seulement de l'essence, il y a aussi la façon dont l'arbre a poussé, de quelle partie de l'arbre provient le bois et de quelle façon on a coupé les planches. En étudiant le bois, portez votre attention sur les deux motifs les plus courants du grain : le grain droit et le grain en cœur.

Le grain droit est le résultat d'une coupe équarrie sur la longueur. Chaque quartier est taillé en coins et chaque coin en planches. C'est du quart de bois scié. Les grains longent la planche en lignes droites, de différentes largeurs et de différentes couleurs. Ce sont les cercles annuels de croissance des arbres qui créent ce motif.

Le grain en cœur est le résultat d'une coupe verticale parallèle, à travers toute la largeur de l'arbre. Ce genre de grain porte plusieurs noms, grain cathédrale, grain en V, coupe plaine et coupe plate, pour n'en nommer que quelques-unes. Ces noms décrivent tous la même chose : un grain en forme de V créé par les cercles annuels de la croissance de l'arbre. On dit souvent « *en forme de flamme* » pour décrire ce modèle. Soyez attentif à ces formes. Attardez-vous à observer le bois naturel, nu et fini, pour voir comment ces motifs se présentent. C'est important si vous projetez d'imiter au pinceau le grain en cœur. Bien que les lignes de ces grains soient parallèles les unes aux autres, elles sont divisées par des espaces inégaux. Elles varient en largeur, elles

Trois pinceaux spéciaux utilisés couramment pour les imitations de bois (de gauche à droite) : applicateur de grain à 7 branches, pinceau fouet à texturer (également appelé dragueur) et applicateur à 12 branches.

changent de trajectoire le long des lisières et se terminent brusquement et légèrement arrondies. Finalement, elles atteignent toujours le bord d'une section donnée sans s'arrêter au milieu.

Des outils comme l'applicateur de grain et le tampon à bascule facilitent la technique du faux-fini, mais ils requièrent un mouvement inhabituel. Vous devez les balancer en petits mouvements et en allongeant votre geste sur la surface. Prenez le temps de répéter ce mouvement avant d'attaquer une surface.

La plupart des imitations de bois sont faites sur des planches ou des panneaux accessibles. Apprêtez ces surfaces avec une couche de base et un glacis dont les couleurs s'apparentent, la couche de base toujours plus pâle. Dans la plupart des cas, vous pouvez travailler avec un glacis à l'huile et appliquer un vernis satiné transparent comme surcouche.

Le glacis de base est constitué de 1 portion de colorant universel, 1 portion d'huile de graines de lin bouillie, 2 portions de vernis à l'huile satiné et 3 portions de solvant minéral. Mélangez l'huile de graines de lin et le solvant minéral, ajoutez ensuite les colorants universels jusqu'à ce que vous obteniez la couleur de bois désirée. Dans les colorants universels, utilisez des tons de terre, comme ambre-brut, ambre-brûlé, sienne-brut, sienne-brûlé et jaune-ocre.

Cette formule tout-usage fonctionne bien dans la plupart des situations. Mais il arrive que des problèmes surgissent. Si le glacis est lent à prendre, c'est que vous avez mis trop d'huile de graines de lin. S'il semble trop épais, c'est que vous avez ajouté trop de vernis au mélange. S'il est coulant, c'est que vous avez mis trop de diluant. Si les colorants universels ne se mélangent pas uniformément, c'est que vous avez utilisé trop de colorant. La solution est de trouver les proportions justes pour obtenir la bonne consistance.

L'impression d'un décor bois

- **Acajou à grain droit**

- **Acajou à grain en cœur**

- **Pin noueux**

- **Chêne**

- **Panneau à nœuds**

Acajou à grain droit

Ce joli bois rougeâtre provient d'un arbre tropical, hautement prisé pour fabriquer des armoires et des panneaux. Il a un grain fin et droit, avec une alternance de teintes pâles et foncées, qui ajoutent à sa beauté. Son imitation est relativement facile à faire avec de la peinture et un glacis pour grain, parce que le grain est droit.

Commencez par appliquer une couche de base coquille d'œuf, latex satiné ou de la peinture à l'huile émaillée pré-mélangée, de la couleur la plus pâle du bois. Laissez sécher avant de poursuivre le travail. Plus vous avancez, plus vous devrez changer de pinceaux et de position pour les manipuler ; alors suivez bien les instructions et référez-vous aux photos d'accompagnement.

Gardez une bonne réserve de chiffons propres. Quand ils deviennent imbibés de glacis, prenez-en un propre. N'utilisez aucun chiffon effiloché, car les fils pourraient se retrouver dans le glacis et en ruiner l'apparence.

Réaliser une impression d'acajou à grain droit

1 Découpez le coton hydrophile ou tout autre tissu doux non ouaté en plusieurs bandes de 1,80 m (6 pi) de longueur. Pliez les pièces en tampons et mettez de côté. Mélangez le glacis avec la couleur désirée et à la consistance voulue. Versez une petite quantité dans le bac à peinture. Refermez le contenant pour empêcher l'évaporation du solvant.

2 Appliquez le glacis sur la surface, au rouleau ou au pinceau. Prenez un tampon de tissu en plaçant le pouce sous le tampon et en écartant bien les doigts au-dessus. Pressez le tampon contre le glacis, de haut en bas en lignes droites et parallèles. Le glacis se soulève toujours aux endroits que touchent vos doigts.

3 Tenez le pinceau dragueur par le manche, positionnez-le le plus possible parallèlement à la surface. De haut en bas, flanquez délicatement le pinceau contre le glacis. Cela met en place la sous-texture et amène le glacis à une consistance malléable. Nettoyez souvent le pinceau.

4 *Tenez un pinceau à vernis propre en parallèle avec la surface et pressez fermement. Traînez-le jusqu'en bas de la surface en un léger geste tremblant. Cela raffermit la texture du grain.*

5 *Tenez un autre pinceau à vernis à un angle de 45 degrés et appliquez fermement sur la surface en traits verticaux pour créer des reflets. Tracez ces traits au hasard en lignes continues de haut en bas. Repassez par-dessus ces traits verticaux. (Voir étape 3)*

6 *Acajou à grain droit terminé. Beau fini avec une belle profondeur de couleur. Scellez avec une surcouche transparente ou un vernis satiné.*

PROCÉDÉ

ACAJOU À GRAIN DROIT

NIVEAU D'HABILETÉ : avancé

RECOMMANDÉ POUR : panneaux muraux, planchers, portes, moulures, panneaux, armoires, meubles et accessoires

DÉCONSEILLÉ POUR : murs, sauf s'ils sont divisés en panneaux ou toute surface comprenant des reliefs ou des garnitures sophistiquées

PAIRES DE MAINS REQUISES : 1

INSTRUMENTS ET ACCESSOIRES : seaux à peinture, bâton à mélanger, bac à peinture, rouleau à poils courts ou en mousse, tampons de coton hydrophile ou autre tissu sans mousse, en longueurs de 1,80 m (6 pi), pinceau dragueur de 75 cm (3 po) de largeur, 2 pinceaux pour vernis de 75 cm (3 po) de largeur, chiffons propres, gants

COUCHE DE BASE : coquille d'œuf, latex satiné ou émail à l'huile pré-mélangé

COLORANTS POUR GLACIS : colorants universels

RECETTE DE GLACIS : 1 portion de colorant universel, 1 portion d'huile de graines de lin bouillie, 2 portions de vernis à l'huile satiné et 3 portions de solvant minéral

SECTION DE TRAVAIL TYPE : 2 planches de 25 à 30 cm (10 à 12 po) de largeur

SURCOUCHE TRANSPARENTE : vernis à l'huile satiné

Acajou à grain en cœur

Le grain en cœur a la forme d'une délicate flamme arquée. L'acajou est un des bois préféré pour les panneaux, les portes et toutes les surfaces que l'on veut mettre en valeur.

Plusieurs étapes de cette technique sont les mêmes que « Acajou à grain droit », pages 242-243. Revoyez-les avant de commencer. Comme dans l'exercice précédent, commencez par appliquer une couche de base sur la surface, avec un apprêt coquille d'œuf, du latex satiné ou de l'émail à l'huile pré-mélangé, assorti à la couleur la plus pâle du bois que vous tentez d'imiter. Laissez sécher avant de poursuivre le travail.

Coup de maître

Un fini décor bois est très joli, appliqué sur une vieille porte à panneaux, peinte. Commencez par les traits horizontaux, d'abord ceux du haut, ensuite ceux du milieu (s'il y en a un) et finalement ceux du bas. Pour les membres verticaux (montants), faites glisser le pinceau en commençant par le haut, à l'extérieur des coins, et revenez vers l'intérieur pour croiser les traits horizontaux.

Réaliser une impression d'acajou à grain en cœur

1 Préparez les tampons de tissu et le glacis tel que décrit à l'étape 1 de « Acajou à grain droit », page 242.

2 Appliquez le glacis sur la surface, au rouleau ou au pinceau. Prenez un tampon de tissu en plaçant le pouce sous le tampon et en écartant bien les doigts au-dessus. Inclinez légèrement le tampon, comme vous voyez ici, en le passant délicatement sur le glacis. À ce point-ci, le glacis devrait encore être très malléable.

3 *Étalez le glacis. Tenez le pinceau dragueur par le manche, positionnez-le parallèlement à la surface et effleurez le glacis avec le pinceau. Commencez par le haut et descendez. Cela crée une surtexture qui rend le glacis plus malléable. Nettoyez fréquemment le pinceau.*

4 *Attendez que le glacis commence à se figer. À ce moment, il ne paraît plus humide. Masquez la section de planche de grain en cœur. Avec un applicateur de grain ou un pinceau de décorateur encoché, appliquez un nouveau glacis par-dessus le précédent selon le modèle de grain en cœur. Allez-y délicatement et ne soulevez pas la sous-couche de glacis en cours de travail. Ce procédé réactive le glacis; plus il est sec, meilleure est la réactivation.*

5 *Atténuez le grain en cœur en passant un pinceau de décorateur propre par-dessus. Il sera adouci et se fondra mieux dans le grain d'arrière-plan. Travaillez de bas en haut.*

6 *Repasser en faisant glissser le pinceau sur toute la planche une seconde fois pour ajouter à la texture, en utilisant la technique décrite à l'étape 3, « Acajou à grain droit », page 242.*

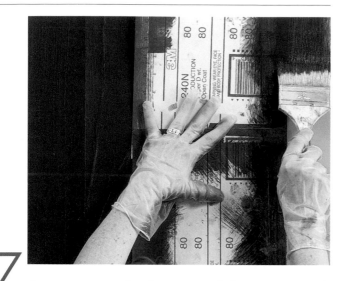

7 *Apposez un papier à poncer, côté grain contre la surface du rebord de la planche, comme on voit ici, pour faire une bordure droite. Appliquez le glacis sur la planche suivante et répétez les étapes précédentes. Continuez ainsi sur toute la surface. Le glacis le long des rebords du papier à poncer donne l'illusion d'une séparation entre les planches.*

8 *L'impression acajou à grain en cœur une fois terminée. Le grain en forme de flamme donne une texture luxueuse sur de faux panneaux. Scellez avec une surcouche transparente ou un vernis satiné.*

PROCÉDÉ

ACAJOU À GRAIN EN CŒUR

NIVEAU D'HABILETÉ : avancé

RECOMMANDÉ POUR : panneaux muraux, planchers, portes lisses, moulures, panneaux, armoires, meubles et accessoires

DÉCONSEILLÉ POUR : murs, sauf s'ils sont divisés en panneaux, ou toute surface comprenant des reliefs ou des garnitures sophistiquées.

PAIRES DE MAINS REQUISES : 1

INSTRUMENTS ET ACCESSOIRES : seaux à peinture, bâton à mélanger, bac à peinture, rouleau à poils courts ou en mousse, tampons de coton hydrophile ou autre tissu sans mousse, en longueurs de 1,80 m (6 pi), pinceau dragueur de 75 mm (3 po) de largeur, papier à poncer 80 grains, chiffons propres, gants

COUCHE DE BASE : coquille d'œuf, latex satiné ou émail à l'huile pré-mélangé

COLORANTS POUR GLACIS : colorants universels

RECETTE DE GLACIS : 1 portion de colorant universel, 1 portion d'huile de graines de lin bouillie, 2 portions de vernis à l'huile satiné et 3 portions de solvant minéral

SECTION DE TRAVAIL TYPE : planche de 25 à 30 cm (10 à 12 po) de largeur

SURCOUCHE TRANSPARENTE : vernis à l'huile satiné

Pin noueux

Son aspect irrégulier, rend ce bois populaire facile à imiter en peinture. En réalité, on trouve les noeuds dans les branches coupées qui étaient rattachées au tronc. Si vous étudiez la coupe du pin, vous remarquerez qu'il y a des noeuds ronds et ovales, des noeuds enfoncés et des noeuds détachés, autant que des noeuds qui parcourent l'entière surface de la planche. Chacun est le résultat de la façon dont le bois a été coupé et dont l'arbre a poussé. Il y a également d'autres sortes de noeuds que vous pouvez reproduire avec réalisme. Certains sont estompés. Parfois le grain droit tourbillonne autour du noeud. Rendez-vous dans un moulin ou un parc à bois débités pour étudier les motifs de noeuds avant de commencer votre projet. Quand vous êtes prêt à commencer, appliquez une couche de base de peinture au latex mate, blanc chaud. Laissez sécher avant de poursuivre le travail.

Gardez une bonne réserve de bandes de coton hydrophile, vous en aurez besoin pour créer les noeuds et en adoucir l'effet. Quand le coton devient trop imbibé de glacis, prenez-en un propre. Choisissez des cotons qui ne moussent pas. Les fils perdus pourraient s'imprégner dans le glacis et gâcher votre fini.

Réaliser une impression de pin noueux

1 Découpez des bandes de coton hydrophile ou d'autre tissu souple sans mousse, en longueurs de 1,80 m (6 pi) et roulés en forme de tampons, puis mettez-les de côté. Colorez le reste de la couche de base avec des colorants universels, de la couleur la plus pâle du pin naturel. Mélangez une couleur légèrement plus foncée, diluée dans 50% d'eau. Mélangez également un brun plus marqué pour peindre les noeuds.

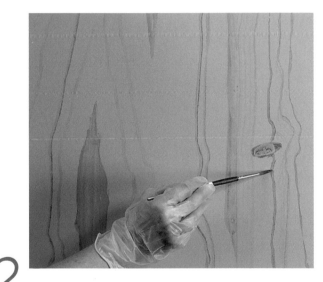

2 Recouvrez la planche de la couleur la plus pâle. Peignez les noeuds, tel qu'indiqué, en vous servant d'un pinceau d'artiste pour appliquer la couleur plus foncée. Peignez alors les lignes du grain en utilisant la peinture diluée et le pinceau d'artiste. Tracez des lignes serrées autour du centre des noeuds et des lignes plus allongées en vous éloignant. Restez sobre, n'abusez pas du nombre de lignes de grain ni du nombre de noeuds à peindre. Rappelez-vous moins vaut mieux que plus pour un résultat réaliste.

3 Appliquez le glacis sur la planche avec un pinceau de décorateur. Enroulez un bout de coton autour de votre pouce, pressez au centre de chaque nœud et agitez-le autour pour enlever un peu de glacis. Atténuez des lignes du grain dans certaines zones en les essuyant avec le chiffon, tel qu'indiqué.

4 Adoucissez l'ensemble du travail et établissez des arrêts (les reflets de la coupe) avec un chiffon roulé. Appuyez le chiffon contre le glacis et retirez-le immédiatement pour enlever une partie du glacis. Tournez le chiffon dans votre main pour qu'il soit toujours propre quand il touche au glacis. Quand le rouleau de chiffon est gluant, prenez-en un nouveau. Refaites le mouvement sur toute la surface. Ensuite, draguez la surface en suivant les instructions de l'étape 3, « Acajou à grain droit », page 242. Vous créerez ainsi la sous-texture.

5 *Tenez l'applicateur le plus parallèlement possible avec la surface et descendez-le dans le glacis. Allez-y délicatement et travaillez de haut en bas. Cette technique adoucit le glacis et les points de repère.*

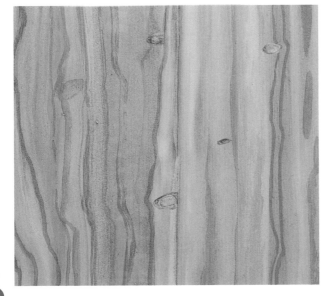

6 *Résultat final : un fini parfait pour un décor rustique et campagnard. Scellez avec une surcouche de vernis acrylique ou de polyuréthane à l'eau.*

PROCÉDÉ

PIN NOUEUX

NIVEAU D'HABILETÉ : avancé

RECOMMANDÉ POUR : panneaux muraux, planchers, portes lisses, moulures, panneaux, armoires, meubles et accessoires

DÉCONSEILLÉ POUR : murs, sauf s'ils sont divisés en panneaux, ou toute surface comprenant des reliefs ou des garnitures sophistiquées

PAIRES DE MAINS REQUISES : 1

INSTRUMENTS ET ACCESSOIRES : seaux à peinture, bâton à mélanger, bac à peinture, rouleau à poils courts ou en mousse, pinceau de décorateur de 75 mm (3 po) de largeur, 2 pinceaux d'artiste #6, bandes de 1,80 m (6 pi) de coton hydrophile ou autre tissu doux sans mousse en forme de rouleaux, pinceau dragueur de 75 mm (3 po) de largeur, applicateur de grain de 75 mm (3 po) de largeur, seau d'eau propre, chiffons propres, gants

COUCHE DE BASE : peinture au latex satinée, blanc chaud ou coquille d'œuf

COLORANTS POUR GLACIS : colorants universels

RECETTE DE GLACIS : 1 portion de colorant universel et 1 portion d'eau

SECTION DE TRAVAIL TYPE : 2 planches de 20 à 30 cm (10 à 12 po) de largeur

SURCOUCHE TRANSPARENTE : vernis acrylique ou polyuréthane à l'eau

Chêne

Le chêne est un des bois qui comporte le plus de grains et sans doute les plus gros. Étudiez attentivement sa texture avant de commencer. Vous remarquerez que les grains foncés semblent très distancés les uns des autres et que des grosses fibres apparaissent à la pointe des grains en cœur. Servez-vous de peignes pour reproduire le grain. Exercez-vous pour être à l'aise avec ces instruments, car ils demandent une main ferme.

Appliquez une couche de base coquille d'œuf, latex satiné ou émail à l'huile, pré-mélangée, d'une couleur qui s'apparente à la teinte la plus pâle du chêne. Laissez sécher avant de poursuivre le travail.

Coup de maître

Le chêne possède une structure de pores très définie, ce qui n'est pas le cas de la plupart des bois. En fait, les pores sont plus visibles que le grain lui-même. Pour rendre encore plus réaliste l'imitation de chêne, vous pouvez utiliser un rouleau de laine d'acier, que vous pourrez passer dans le glacis pour créer des pores plus saillants. Ensuite, passez un pinceau éventail sur le glacis pour obtenir un grain plus subtil.

Réaliser une impression de chêne

1 Mélangez le glacis avec la couleur désirée et à la consistance voulue. Versez une petite quantité dans le bac à peinture. Refermez le contenant.

2 Masquez une section de 30 cm (12 po) de largeur. Appliquez le glacis et laissez-le prendre quelques minutes. Tenez le gros peigne d'acier à un angle de 45 degrés et raclez la surface jusqu'en bas. Essuyez le peigne et repassez plusieurs fois sur la surface, puis raclez de nouveau avec un peigne plus petit.

3 Pendant que le glacis est encore humide, formez les grains en cœur et les nœuds en vous servant d'un rouleau à grainer sur le glacis et en alternant les bandes, *tel qu'indiqué. Travaillez de haut en bas en repassant une fois par-dessus chaque bande. Le rouleau accentue la forme du grain dans le glacis. Si cette manœuvre laisse trop de glacis au milieu du nœud, enroulez une pièce de chiffon autour de votre pouce et épongez le centre du nœud pour retirer l'excédent de glacis.*

4 *Passez une seconde fois la surface au peigne, en utilisant cette fois un peigne moyen. Faites courir le peigne à l'extérieur des grains en cœur et redressez graduellement les lignes en vous éloignant des cœurs afin d'obtenir un grain bien droit au milieu.*

5 *La touche finale. Sur des panneaux, l'impression de chêne à grain en cœur se reflète sur les sections adjacentes. Scellez avec une surcouche transparente ou un vernis satiné.*

PROCÉDÉ

CHÊNE

NIVEAU D'HABILETÉ : avancé

RECOMMANDÉ POUR : panneaux muraux, planchers, portes lisses, moulures, panneaux, armoires, meubles et accessoires

DÉCONSEILLÉ POUR : murs, sauf s'ils sont divisés en panneaux, ou toute surface comprenant des reliefs ou des garnitures sophistiquées

PAIRES DE MAINS REQUISES : 1

INSTRUMENTS ET ACCESSOIRES : ruban cache, ruban de papier, seaux à peinture, bâton à mélanger, rouleau à poils courts ou en mousse, pinceau de décorateur de 75 mm (3 po) de largeur, peignes à grainer en acier ou en plastique, gros, moyen et fin, rouleau à grainer, chiffons propres, solvant minéral, gants

COUCHE DE BASE : coquille d'œuf, latex satiné ou émail à l'huile pré-mélangés.

COLORANTS POUR GLACIS : colorants universels

RECETTE DE GLACIS : 1 portion de colorant universel, 1 portion d'huile de graines de lin bouillie, 2 portions de vernis à l'huile satiné et 3 portions de solvant minéral

SECTION DE TRAVAIL TYPE : 2 planches de 30 cm (12 po) de largeur

SURCOUCHE TRANSPARENTE : vernis à l'huile satiné

Panneau noueux

Le bois noueux est tellement facile à imiter qu'il est tentant d'en abuser. Retenez-vous. Dans la nature, on trouve ce bois noueux dans les loupes, qui sont des excroissances ligneuses qui se développent sur certains arbres. Les loupes sont plutôt rares, ce qui signifie que le bois noueux qui en provient est onéreux et rarement utilisé pour des grandes surfaces. Suivez l'exemple de la nature et confinez-vous à de petites surfaces, comme des dessus de table et des portes d'armoire. Vous pouvez également combiner ce fini avec d'autres effets de grain, par exemple sur des lambris. Dans ce cas-ci, nous avons créé un panneau de porte noueux, entouré d'une bordure.

Appliquez une couche de base coquille d'œuf, latex satiné ou d'émail à l'huile, pré-mélangée, dans des teintes de bois doré. Laissez sécher avant de poursuivre le travail.

Coup de maître

Utilisez un pinceau d'artiste à pointe fine pour peindre les cercles noir autour de certaines des formes que vous avez créées. Pour ajouter de l'authenticité et faire ressortir le motif.

Réaliser un panneau noueux

1 Découpez un coton hydrophile en bandes de 1,80 m (6 pi) de longueur et mettez-les de côté. Utilisez du ruban cache pour circonscrire les zones noueuses. Mélangez les colorants universels de la teinte voulue et versez une petite quantité dans le bac à peinture. Refermez le contenant pour empêcher l'évaporation du solvant.

2 Enduisez toute la surface de vernis à l'huile satiné, puisé directement du contenant. Chiffonnez un morceau de tissu dans votre main, trempez-le dans le contenant de vernis pour l'humecter juste assez, de façon qu'il puisse glisser sur la surface et maintienne la couleur en place. Trempez ensuite le chiffon dans le colorant pour bois. Étalez la couleur sur la surface vernie en barbouillant à l'aide de mouvements circulaires, tel qu'indiqué.

3 Trempez l'applicateur de grain dans le solvant minéral ou de la térébenthine, et essuyez l'excédent dans du papier journal ou un essuie-tout pour qu'il soit à peine humide. Tenez-le à un angle de 45 degrés parallèlement à la surface et tracez de courts traits rayonnants à travers les nœuds. Laissez sécher le glacis.

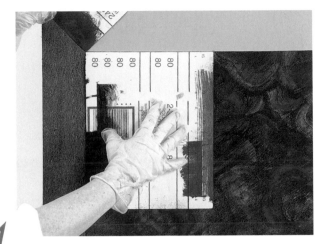

4 Pour les bordures, faites un glacis avec des colorants universels dans les teintes du bois. Peignez les bordures autour des nœuds en utilisant la technique mentionnée dans « Acajou à grain droit », page 242. Soulignez l'angle des coins en apposant une feuille de papier à poncer de 80 grains, à un angle de 45 degrés, en travers de chaque coin et travaillez le glacis jusqu'à l'angle et par-dessus le papier. Le papier à poncer crée une accumulation de glacis dans les coins et fait ressortir l'angle.

5 Le panneau noueux terminé. C'est un fini très fantaisiste, qui convient aux portes d'armoire, aux petits panneaux muraux, et qui prend toute sa profondeur quand il est scellé avec une surcouche de vernis satiné.

PROCÉDÉ

PANNEAU NOUEUX

NIVEAU D'HABILETÉ : intermédiaire à avancé

RECOMMANDÉ POUR : petites surfaces, comme dessus de table, panneaux d'appoint, portes d'armoire et devantures de tiroirs, portes lisses et meubles

DÉCONSEILLÉ POUR : murs, sauf s'ils sont divisés en panneaux, ou toute surface comprenant des reliefs ou des garnitures sophistiquées

PAIRES DE MAINS REQUISES : 1

INSTRUMENTS ET ACCESSOIRES : ruban cache, seaux à peinture, bac à peinture, bâton à mélanger, rouleau à poils courts ou en mousse, pinceau pour vernis de 75 mm (3 po) de largeur, bandes de coton hydrophile coupées en longueurs de 1,80 m (6 pi), applicateur de grain de 75 mm (3 po) de largeur, papier à poncer 80 grains, pinceau dragueur de 75 mm (3 po) de largeur, chiffons propres, solvant minéral, gants

COUCHE DE BASE : peinture pré-mélangée coquille d'œuf ou satinée

COLORANTS POUR GLACIS : colorants universels

RECETTE DE GLACIS : pour les nœuds, colorants universels et vernis à l'huile satiné mélangés. Pour les bordures unies, 1 portion de colorant universel, 1 portion d'huile de graines de lin bouillie, 2 portions de vernis à l'huile satiné et 3 portions de solvant minéral

SECTION DE TRAVAIL TYPE : surface de 0,18 m² à 0,28 m² (2 à 3 pi²)

SURCOUCHE TRANSPARENTE : vernis à l'huile satiné

Bibliographie

Constantine, Albert, Jr. *Know Your Woods*. Revised by Harry J. Hobbs. New York: Charles Scribner's Sons, 1975.

Corbella, Enrico. *The Architect's Handbook of Marble, Granite and Stone*. 3 vols. New York: Van Nostrand Reinhold, 1990.

Fleming, John, and Hugh Honour. *Dictionary of Decorative Arts*. New York: Harper & Row, 1977.

Gamblin, Robert, and Martha Bergman-Gamblin. *Gamblin Color Book*. Portland, OR: Gamblin Artists Colors, 1996.

The Home Decorating Institute. *Painted Illusions*. Minnetonka, MN: Cy DeCosse, 1996.

Innes, Jocasta. *Decorating with Paint*. New York: Harmony Books, 1986.

————. *The New Paint Magic*. New York: Pantheon Books, 1992.

Marx, Ina Brosseau, Allen Marx, and Robert Marx. *Professional Painted Finishes*. New York: Watson-Guptill Publications, 1991.

Mayer, Ralph. *The Artist's Handbook of Materials and Techniques*. Revised by Steven Sheehan. New York: Viking, Penguin, 1991.

McCloud, Kevin. *Kevin McCloud's Complete Book of Paint and Decorative Techniques*. New York: Simon & Schuster, 1996.

Munsell, Albert H. *A Color Notion: An Illustrated System Defining All Color and Their Relations by Measured Scale of Their Hue, Value and Chroma*. Baltimore: Munsell Color (Macbeth), 1988.

O'Neill, Isabel. *The Art of the Painted Finish for Furniture and Decoration*. New York: William Morrow & Company, 1971.

Sloan, Annie, and Kate Gwynn. *The Complete Book of Decorative Painting Techniques*. Topsfield, MA: Salem House Publishers, 1988.

Stott, Rowena, and Jane Cheshire. *The Country Diary Book of Stencilling*. New York: Viking, 1988.

Victorian Stencils: Design and Decoration. Dover Pictorial Archives Series. Mineola, NY: Dover Publications, 1968

Glossaire

Acétate. Pellicule de plastique qui sert à découper les pochoirs.

Acrylique. Polymère de plastique à base d'eau qui agit comme liant dans la peinture acrylique.

Acrylique d'artiste. Peinture qui contient des pigments en suspension dans la résine acrylique, similaire au latex mais de meilleure qualité.

Alizarine cramoisi. Un des pigments de base divisé synthétiquement à partir de goudron et se situant dans les tons de marron.

Ambre brûlé. Une des couleurs indigènes; c'est un brun rougeâtre foncé, fait à partir d'ambre brut calciné.

Ambre brut. Couleur indigène, brun froid, faite avec de l'argile qui contient de l'oxyde de fer et du dioxyde de manganèse, originaire de l'Ombrie en Italie.

Antique. Se dit de toute technique qui sert à vieillir une surface peinte, habituellement un glacis mince appliqué sur une surface, qui permet de voir la sous-couche au travers.

Antirouille. Peinture avec additif chimique pour empêcher le métal de rouiller.

Apprêt. Sous-couche qui prépare les surfaces en uniformisant leur textures et en leur donnant une meilleur

BOIS NOUEUX

CHIFFONNER-ESSUYER

ENROULÉR-ESSUYER

CHIFFONNER-APPLIQUER

capacité d'adhérence pour la peinture.

Blanc titane. Pigment le plus commun, c'est un blanc brillant qui est un dérivé synthétique du titane.

Blanc zinc. Pigment ordinaire de blanc, blanc brillant, dérivé synthétique du zinc.

Bleu ultramarine. Couleur indigène, bleu intense, autrefois fait de poudre de lapis-lazuli et maintenant fait de pigments synthétiques.

Bois noueux. Bois qui a été coupé dans la partie noueuse de l'arbre, lui donnant ainsi un grain courbé et irrégulier.

Bordures humides. Marges de peinture ou de glacis humides. Les marges humides ne laissent pas de traces entre les sections.

Chiffon décolorant. Procédé consistant à mélanger et à adoucir les coups de pinceaux et les couleurs en tamponnant un chiffon froissé sur une surface humide.

Chiffonner-essuyer. Technique consistant à enlever de la peinture ou du glacis à l'aide d'un chiffon enroulé.

Chiffonner-appliquer. Technique consistant à appliquer une peinture ou un glacis à l'aide d'un chiffon froissé.

Chrome orangé. Un des pigments de base, fait de chromate de plomb et d'oxyde de plomb.

Cire d'abeille raffinée. Dérivé de cire d'abeille naturelle, qui fournit un lustre élégant et ne jaunit pas.

Combinaison de couleurs.
Groupe de couleurs utilisées
ensemble pour créer
une harmonie.

Complémentaires divisées.
Couleurs jumelées avec les
couleurs d'un côté ou de
l'autre de leur couleur
complémentaire sur la roue
des couleurs.

**Complémentaires
doublement divisées.**
Couleurs situées de chaque
côté de deux couleurs
complémentaires sur la roue
des couleurs.

Composé de texture.
Substance ajoutée à la
peinture pour donner de la
texture et du volume.

Contraste. Art d'assembler
des couleurs de différentes
valeurs et intensités pour
créer une harmonie visuelle
dans une combinaison
de couleurs.

Coquille d'œuf. Mince fini de
peinture semi-mat.

Couleurs analogues. Trois
couleurs qui se suivent sur la
roue des couleurs.

Couleurs complémentaires.
Couleurs situées à l'opposé
les unes des autres sur la
roue des couleurs.

Couleurs froides. Vert, bleu
et violet.

Couleurs fuyantes. Couleurs
froides. Elles donnent
l'impression que les couleurs
s'éloignent des yeux.

Couleurs intermédiaires.
Couleurs faites avec le
mélange d'une égale
quantité de couleur primaire
et de couleur secondaire,
comme le rouge-orangé et le
bleu-vert.

Couleurs japonaises.
Colorants concentrés à base
d'huile utilisés pour colorer la
peinture à l'huile et le glacis
soluble au solvant. Les
couleurs japonaises ont une
intense couleur mate, qui
sèche rapidement.

Couleurs quaternaires.
Couleurs obtenues par le
mélange de deux couleurs
tertiaires.

Couleurs secondaires.
Orangé, vert et violet, soit les
couleurs obtenues par le
mélange égale de deux
couleurs primaires.

Couleurs tertiaires. Couleurs
obtenues par la combinaison
de deux couleurs
secondaires.

Coton hydrophile. Coton
tissé lâchement, parfois
appelé coton à fromage, et
servant à créer différentes
textures, autant qu'à
mélanger et à adoucir toutes
les techniques.

Couche transparente.
Couche de finition protectrice
transparente appliquée sur
des finis peints.

Couleurs chaudes. Les
rouges, les orangés et les
jaunes, incluant souvent
les bruns.

CUIR MAROCAIN

EFFET TACHETÉ

Couleurs indigènes.
Pigments inorganiques de base, dérivés des pigments de la terre colorée par les minéraux et utilisés pour faire les couleurs de base de la peinture à l'huile pour artistes: sienne brûlé, ambre brûlé, noir de fumée, sienne brut, ambre brut et jaune ocre.

Couleurs primaires. Rouge, jaune et bleu, soit les trois couleurs du spectre visible qui ne peuvent se diviser en d'autres couleurs. Dans des combinaisons et des proportions variées, elles donnent toutes les autres couleurs.

Couleurs qui avancent. Les couleurs chaudes, comme les couleurs foncées, donnent l'impression d'avancer vers vous.

Colorants universels.
Pigments combinés avec du glycol d'éthylène et une petite quantité d'eau. Ils sont utilisés dans la peinture et le glacis à l'eau et à l'huile.

Coupeur. Pinceau à poils durs et courts qui sert à tracer les lignes dans les coins et autour des garnitures.

Cuir marocain. Cuir mou et coûteux fait de peau de chèvre tannée au sumac. Technique de peinture qui imite ce cuir.

Déglacer. Rendre une surface rugueuse avant de peindre pour qu'elle absorbe mieux la peinture.

Détrempe. Ancienne technique de peinture, faite de caséine ou de gélatine / colle comme apprêt liant.

Diluant. Liquide mélangé à la peinture pour l'éclaircir, comme la térébenthine et le solvant minéral pour la peinture à l'huile et l'eau pour la peinture au latex.

Solvant minéral. Pétrole distillé qui sert de solvant pour la peinture à l'huile.

Échelle des valeurs. Outil graphique qui sert à montrer les niveaux de valeur entre le blanc pur et le vrai noir.

Éclabousseur. Pinceau à poils naturels qui sert à adoucir les surfaces peintes à l'huile.

Effet de peigne. Toute technique de peinture qui exige d'étroites lignes de couleur sur une surface.

Effet tacheté. Technique pour étaler des points au hasard sur une surface en frappant sur un pinceau saturé de peinture ou en frottant le pinceau contre un tamis.

Émail. Peinture à fins pigments et haute concentration de liant, qui donne un lustre brillant ou semi-lustré en séchant.

Emboîter. Verser toutes les peintures de même couleur et de même formule dans un plus grand contenant et les mélanger pour éliminer les légères variations de couleur entre les différents contenants.

Enrouler-essuyer. Technique consistant à enlever du glacis à l'aide d'un chiffon enroulé que l'on tamponne à petits coups rythmés.

Éponge de mer. Structure fibreuse d'un animal marin, utilisée pour appliquer et enlever la peinture. À ne pas confondre avec les éponges de cellulose du commerce.

Faux. Comme le nom l'indique, décrit toutes les techniques de peinture qui imitent une autre consistance, comme le bois et la pierre.

Férule. Partie métallique d'un pinceau, qui retient les poils au manche.

Glacis. Peinture ou colorant mélangé à une mixture transparente et dilué avec un

GRAIN EN CŒUR

PIN NOUEUX

solvant compatible avec la mixture.

Gomme-laque. Sécrétion d'un insecte du sud-est de l'Asie, dissoute dans l'alcool et utilisée comme scellant. Elle existe en trois couleurs : transparente (parfois étiquetée « Blanc »), à pigment blanc (opaque ou blanc craie), orangée ou blonde.

Grain en cœur. Bois avec un grain en forme de V.

Graineur. Pinceau à long poils plats qui sert à ajouter des détails de peinture sur des surfaces à grains déjà sèches.

Huile de graines de lin. Dérivé de graines de lin, cette huile sert de base dans les peintures et les vernis.

Huiles pour artiste. Tubes ou bâtons de peinture associés aux beaux-arts. Ils contiennent des pigments en suspension dans de l'huile de graines de lin et se présentent dans un grand éventail de couleurs.

Impression de décor bois. Technique qui tend à imiter le bois en copiant les lignes retrouvées dans les coupes de bois (qui sont les cercles de croissance de l'arbre).

Intensité. Brillance ou manque d'éclat d'une couleur. Ou pureté et saturation d'une couleur.

Jaspe. Version opaque de quartz, habituellement jaune, brune, rouge et verte.

Jaune ocre. Couleur indigène, jaune moutarde, faite avec de l'argile qui contient de l'oxyde de fer.

Lavis de couleur. Minces couches de lavis appliquées au hasard et mélangées pour produire un décoloré détrempé inégal.

Longueur d'onde. Indice de mesure du spectre électromagnétique; la portion visible du spectre qui constitue la lumière pour nous mesure entre 4 000 et 7 000 angströms, le rouge ayant l'onde la plus longue et le violet la plus courte.

Lustre. Qualité d'une peinture qui reflète la lumière. Fini brillant qui reflète le maximum de couleurs.

Marbre embrèche. Marbre composé de fragments cimentés ensemble.

Mylar. Marque de commerce d'une pellicule de polyester, mince et résistante, avec une pigmentation métallique.

Nivelé. Qualité d'une peinture qui s'étale facilement et qui ne laisse aucune trace de pinceau ou de rouleau en séchant.

Noir de fumée. Couleur indigène, c'est un noir profond, fait de carbone presque pur (qui contient les impuretés de l'huile et du goudron).

JASPE

LAVIS DE COULEUR

Nuance. Synonyme de couleur. Utilisé pour décrire la famille à laquelle une couleur appartient.

Ocre orangé. Un des pigments de base, il est fait à partir d'ocre sulfuré et d'ocre sélénite.

Ombrée. Couleur à laquelle on a ajouté du noir pour la rendre plus foncée.

Parchemin. Peau d'animal sur laquelle on écrit, papier imitant cette peau ou technique décorative qui a la même apparence.

Pastel. Couleur à laquelle on a ajouté beaucoup de blanc pour la rendre très pâle.

Peigne à grain. Peigne en plastique ou en acier flexible, qui se présente en une variété de tailles et sert à strier et à tracer les grains sur les surfaces.

Peinture à l'huile. Peinture avec résine artificielle (alkyde) en guise de liant. L'alkyde a remplacé la formule à l'huile de lin, autrefois utilisée dans la peinture à l'huile.

Peinture à la caséine. Vieille technique de peinture qui consiste à mélanger des pigments avec du lait. On l'utilise rarement de nos jours sauf sur les meubles qui ont un fini décoloré.

Peinture au latex. Peinture qui contient de l'acrylique ou de la résine de vinyle ou une combinaison des deux. Un latex de grande qualité contient 100% de résine d'acrylique. Les peintures au latex sont solubles dans l'eau, donc elles peuvent être diluées et nettoyées avec de l'eau.

Peinture tempéra. Mélange de pigments et d'émulsion de

MARBRE BLANC

PARCHEMIN

liant glutineux, soluble dans l'eau, fait à partir d'extrait d'huile de jaune d'œuf.

Pigment. Substance qui colore la peinture. Les pigments proviennent de matières naturelles ou synthétiques qui ont été broyées en fine poudre.

Pinceau à épousseter. Pinceau mou, de longueur moyenne, utilisé pour l'effet de peigne, pour décaper et adoucir les textures.

Pinceau à pointiller. Gros pinceau chinois à poils durs, qui sert à pointiller peinture,

glacis et sur-couche.

Pinceau à tacheter. Pinceau à extrémité plate qui sert à donner de la texture dans le glacis.

Pinceau chinois. Autre terme pour un pinceau fait de poils de sanglier.

Pinceau dragueur. Large pinceau à poils longs utilisé pour texturer les surfaces en raclant la peinture mouillée sur le glacis.

Pinceau ligneur. Mince, flexible, ce pinceau à longs poils sert à tracer les fines

lignes et aux travaux de précision.

Pinceaux mélangeurs. Pinceaux spécialisés utilisés pour mélanger et adoucir tout type de surface humide.

Pinceau rond. Pinceau fait de fermes mais flexibles poils de porc. On les utilise pour les pochoirs, pour éclabousser et décaper.

Pochoir. Patron découpé qui permet de répéter le même motif avec exactitude. Les pochoirs compliqués ont plusieurs épaisseurs de feuilles de patrons et les différentes couleurs sont appliquées par couches.

Poilu. Tissu à surface duveteuse (comme celle d'un rouleau à peinture).

Pointillé. Technique qui requiert un pinceau spécial, avec lequel on tamponne une surface en gestes saccadés pour créer une myriade de points minuscules, qui semblent se mélanger quand on les regarde de loin. Similaire à la technique des beaux-arts connue sous le nom de pointillisme.

Point de non-retour. Moment où le glacis a commencé à sécher et à devenir collant. À ce point, une peinture ne peut être travaillée sans abîmer le fini.

Points de repère. Petites découpes dans les pochoirs de plus d'une épaisseur, qui permettent d'aligner les différents patrons les uns sur les autres.

Polyuréthane. Résine de plastique, excellente surcouche sur la plupart des peintures sauf la peinture à l'huile pour artistes. Peut être dilué avec du solvant minéral ou avec de l'eau, s'il est à base d'eau.

POINTILLÉ DE BASE

Polyuréthane à base d'eau. Scellant fait de résine de polyuréthane soluble dans l'eau.

Résine. Substance visqueuse solide ou mi-solide, naturelle (colophane, ambre, copal) ou synthétique (polyvinyle, polystyrène).

Roue des couleurs. Diagramme en forme de tarte qui montre un assortiment de pigments et la relation entre eux. Les trois couleurs primaires sont équidistantes, avec les couleurs secondaires et tertiaires entre elles.

Rouge-ocre. Pigment de base, rouge, légèrement teinté de violet, fait d'argile et qui contient de l'oxyde de fer.

Rouge vermeil. Pigment de base, rouge pur brillant, fait de sulfure de mercure.

Scellant. Produit qui scelle les surfaces poreuses (comme la gomme-laque) en formant une barrière durable qui empêche l'absorption de peinture.

Sécheur térébique. Substance (faite à partir d'huile de térébenthine) qui peut être ajoutée à une peinture à l'huile pour accélérer la durée de séchage.

Semi-lustré. Fini légèrement lustré qui reflète la couleur et qui se situe entre le lustré et le coquille d'œuf.

Sienne brûlé. Une des couleurs indigène, c'est un riche rouille rougeâtre fait à partir de sienne brut calciné.

Sienne brut. Couleur indigène, brun-jaune, faite avec de l'argile qui contient du fer et de l'oxyde d'aluminium, que l'on trouve dans la région de Sienne en Toscane.

Spatule. Couteau d'artiste à lame plate et flexible, qui sert à mélanger les couleurs sur une palette.

Spectre visible. Bandes de nuances de couleurs que crée le soleil quand il traverse un prisme.

Solvant. Liquide capable de dissoudre une autre substance (comme le solvant minéral pour la peinture à l'huile et la peinture au latex).

Strié. Voir *Effet de peigne*.

Surcouche de glacis. Mince couche de glacis ajoutée à l'étape finale d'un fini décoratif. Ce peut être le glacis original dilué ou un glacis d'une autre couleur.

Technique négative. Toute technique de peinture décorative qui exige d'enlever la peinture d'une surface pendant qu'elle est encore humide. Voir également *Technique positive*.

Technique positive. Toute technique de peinture qui vise à ajouter de la peinture sur une surface. Voir également *Technique négative*.

Térébenthine. Solvant fait de résine de pin distillée, qui sert à diluer et à nettoyer la peinture à l'huile.

Teinture pour bois. Combinaison transparente de solvant (à l'huile ou à l'eau) et de pigments de la couleur naturelle du bois, qui permet de voir la couleur naturelle du bois et son grain à travers.

Ton. Couleur à laquelle on a ajouté du gris pour en changer la valeur.

Tons de terre. Couleurs naturelles de la terre, brun et beige.

Teintée. Couleur à laquelle on a ajouté du blanc pour la rendre plus claire.

Travaux à l'éponge. Technique de peinture qui requiert une éponge de mer pour appliquer ou enlever la peinture.

TRAVAUX À L'ÉPONGE.

EFFET DE CIEL

Triade. Trois couleurs équidistantes sur la roue des couleurs.

Trompe-l'œil. Décrit une surface peinte qui imite la réalité (comme un ciel peint).

Valeur. Légèreté (teintée ou pastel) ou caractère foncé (ombré) d'une couleur.

Vernis. Traditionnelle sur-couche utilisée en peinture décorative, qui est une peinture à l'huile avec un solvant et un liant oxydant ou volatile, qui laisse une mince pellicule résistante.

Vernis acrylique. Recouvrement qui contient la même mixture que celle utilisée pour fabriquer la peinture et le glacis soluble dans l'eau.

Vert chrome. Variété de pigments verts fait avec du jaune chrome et du bleu acier (de Prusse).

Index